# Nuevas lecciones
## de hist$_e$ria de Colombia
### Desde la Independencia hasta ahorita

DANIEL SAMPER PIZANO

# Nuevas lecciones
# de histeria
# de Colombia

Desde la Independencia hasta ahorita

ILUSTRACIONES DE MICO

EL ÁNCORA EDITORES

Primera edición: El Áncora Editores
Bogotá, 1994
ISBN 958-36-0005-9

Portada: diseño de Camila Cesarino Costa
Ilustración: dibujo de Mico
© Derechos reservados: 1994. Daniel Samper Pizano
El Áncora Editores
Apartado 035832
Bogotá, Colombia
Composición y fotomecánica: Servigraphic Ltda.
Separación de color: Elograph
Impreso en los talleres de Formas e Impresos Panamericana
Impreso en Colombia
*Printed in Colombia*

# CONTENIDO

*A Helena Pizano de Samper*[1]

---

1. Mi mamá.

# ¡QUE VIVA LA REPÚBLICA!

El 17 de diciembre de 1819 fue una jornada de majestuosa solemnidad en el Congreso de Angostura. Después de que los diputados aprobaran por unanimidad la ley fundamental de una nueva nación americana, formada por Venezuela y la Nueva Granada, el presidente del Congreso, Francisco Antonio Zea, se puso de pie y dijo:

—¡La República de Colombia queda constituida! ¡Viva la República de Colombia!

Todos los delegados repitieron emocionados el grito. A renglón seguido, el Libertador Simón Bolívar tomó lápiz y papel y asiento y, empuñando el primero, desplegando el segundo y sentándose en el tercero, sancionó la ley. Se supone que con esta rúbrica, llena de arabescos y figuritas, y con el breve pero entusiasta coro empezaba una nueva era histórica para el país[1].

---

1. Las otras épocas —pre-colombina, Conquista, Colonia e Independencia— se consiguen por el precio de una sola en la primera

En realidad, muy poco de lo que había dicho Zea era verdad. Para empezar, Zea no se llamaba así, sino Juan Francisco Antonio Hilarión Rodríguez y Díaz. Por otra parte, la anunciada boda de dos naciones iba a ser en realidad una poligamia geopolítica: a Ecuador la consideraban parte de la Nueva Granada —con lo que van tres— y en 1821 el istmo de Panamá habría de declarar su independencia de España para incorporarse a Colombia, con lo que llegamos cuatro.

Además, la pomposa república no era más que un proyecto de buena voluntad, que incluía cambiar a Santafé su nombre por el de Bogotá y, más tarde, por el de Las Casas. Con esto no se pretendía atacar de manera anticipada el problema de la vivienda que hoy padece la ciudad, sino rendir homenaje al cura que alzó en brazos a la capital cuando estaba recién nacida. Es posible que, con el tiempo, un nombre más adecuado habría sido el de Los Huecos.

Por último, aquello de «viva la República» resultaba también un poco ingenuo. No era cierto que la república viviera. Al menos, no era cierto que viviera tan sabrosamente como lo proclamaba el grito. En ese momento, 1819, aún existían dudas sobre el éxito final de la empresa libertadora, y cada prócer tenía una teoría acerca de la manera como debía organizarse la nueva nación. A Bolívar, por ejemplo, le sonaba mucho una monarquía y a otros les sonaba que Bolívar fuera ese monarca. A la mayoría le sonaba que Bolívar se había chiflado.

Entretanto, seguían celebrándose batallas contra los españoles en muchos lugares del territorio, y ciertas zonas

---

parte de este tratado de historia: *Lecciones de histeria de Colombia*, de Daniel Samper Pizano (El Áncora Editores, Bogotá, 1993), que no vacilamos en recomendar.

se hallaban bajo el control de criollos aliados de los chapetones. En Pasto, por ejemplo, un astuto y valeroso indígena, Agustín Agualongo, derrotó a los ejércitos patriotas y fundó un virreinato que ejercía un tipo de nombre Estanislao Merchancano. A los lugareños les parecía imponente proclamarse súbditos de Su Majestad Fernando VII, personaje cruel y bastante bestia; empero, les gustaba bastante menos que el virrey fuera don Estanislao, un pobre hombre que tenía mal aliento y cargaba peinilla en el bolsillo trasero del pantalón. Agualongo pretendió luego apoderarse de Quito, pero se equivocó de rumbo y marchó hacia el norte. No se ha vuelto a saber de él[1].

Cualquiera podría pensar que una organización política nacida con tantos remiendos iba a tener una vida llena de complicaciones. No en este caso. Aquí la primera complicación fue prácticamente la última. En 1821 se celebró el Congreso Constituyente de Cúcuta, convocado para refrendar y ponerle espinazo a la acordado en Angostura. Y en 1830, cuando aún no había cumplido doce primaveras, se disolvió la Gran Colombia.

Si somos sinceros, el verbo disolver es demasiado benévolo para describir lo que ocurrió. No fue que la Gran Colombia se licuara suavemente hasta desaparecer. La verdad es que la Gran Colombia estalló, se volvió añicos, quedó destrozada y atomizada, y cada quien agarró por su lado. Presionados por las fuerzas armadas, el doctor Joaquín Mosquera y el general Domingo Caicedo, presidente y vicepresidente de la nueva República, se vieron obligados en 1830 a abandonar sus cargos y dejarlos en garras del ministro de defensa. Mientras el primero se marchaba a Estados Unidos —«No hay popayanejo que

---

1. Es curioso, pero a todos los pastusos importantes les da, tarde o temprano, por apoderarse de Quito.

no quiera conocer a Disneylandia, amigo reportero», declaró a la prensa— y el segundo a su hacienda en Saldaña —«Añoro la leche con bizcochos de achiras al pie de la vaca, compadre», fue su explicación—, se instaló en el poder el general Rafael Urdaneta.

Quedaba así inaugurada, con gran pompa y solemnidad, la Primera Dictadura Militar en territorio grancolombiano. Si en esa época hubieran extendido patentes por esta clase de inventos, los descendientes del militar venezolano serían hoy multimillonarios, habrían irrumpido en la política y algunos de ellos posiblemente estarían presos. En fin, no hay mal que por bien no venga.

### Sobre héroes y tumbis

Lo que siguió a la dictadura de Urdaneta fue el despelote institucional y territorial. El 10 de agosto Ecuador se declaró Estado Libre e Independiente; y, además, Estado Ambicioso y Oportunista, pues resolvió anexarse de una vez a Popayán, Pasto y Buenaventura y, de paso, el Cauca entero y lo que es hoy el departamento del Valle, incluyendo las arepas de pipián, el maestro Valencia, las discotecas de Juanchito, los helados de Jamundí, el jugo de mandarina de Los Turcos, los hermanos Carvajal y el champús de Lola, con todo y Lola.

Siguiendo el mal ejemplo, el 23 de septiembre se proclamó la Nueva República de Venezuela. Y si Bosnia-Herzegovina no aprovechó el momento para independizarse también, es porque no estaba segura de pertenecer a la Gran Colombia. A estas horas aún no se sabe.

La feroz desbandada de provincias y caudillos fue una lástima, porque la nueva república ya tenía de todo, desde escudo de armas hasta deuda externa. El escudo era un precioso carcaj[1] en cañabrava cruda, entallado con tres cintas de terciopelo que sostenían en forma armónica pecho, cintura y cadera; como accesorios, flechas estilo amazónico y un arco de noble inspiración inglesa; a cada lado era posible apreciar dos coquetos cuernos rematados por flores frescas de primavera; todo el conjunto aparecía unido en la parte inferior por un nudo de raso tipo *papillon*. El diseño fue aplaudido en el Salón Internacional del Escudo, muy de moda en aquella época en que América era una salacuna de naciones.

### Préstenos lo que Zea

Lo de las deudas era menos bueno. Los fundadores de la nueva república estaban convencidos de que uno de los signos de identidad de un país es tener deudas. Y las tenía, pues la independencia había costado exactamente 102.517.70 pesos[2]. Ya lo había escrito con fuego el prócer de San Mateo, Antonio Ricaurte: «Deber antes que vida». El nombre técnico que empezaban a usar los economistas jóvenes como sinónimo de deuda era el de *empréstito*, menos doloroso y más elegante que el otro[3].

Para debutar en la sociedad europea, se propuso que se hiciera una vaca entre los congresistas y mandaran a Fran-

---

1. Carcaj es una de las cinco palabras de la lengua española que terminan en jota. A que no acierta con las otras cuatro...

2. Ignoro de dónde habrá sacado esta cifra el doctor Francisco Marcos, pero es la que cita, tomándolo a él como fuente, el *Compendio de historia patria* de José María Quijano Otero. Ni un centavo menos, ni uno más.

3. La expresión *empréstito*, sin embargo, tiene un rústico origen boyacense; viene de «emprésteme» y, más posiblemente, de «emprésteme, sumercé.»

cisco Antonio Zea al exterior con el fin de que contrajera deudas. Pensaban que un paisa era el tipo preciso para conseguir plata. Zea, en realidad, era un hombre de ciencia y un político, antes que un economista; había sido director del Jardín Botánico de Madrid y personaje medianamente destacado en España. Allí, al contrario de lo que suele suceder, había llegado en calidad de preso y terminó ocupando destacados cargos en la administración pública. Alcanzó a tener en algunos países de Europa lo que ahora se llama «un gran poder de convocatoria»; a los banquetes en su honor asistían hasta los reyes de la baraja. Pero en tierra caliente le iba menos bien. Por eso la colecta para su viaje no fue muy generosa: los asistentes al Congreso alegaban que no sólo estaban en Angostura sino también en estrecheces.

Pese a ello, lograron reunir tres pesos y cinco reales de la época. Teniendo en cuenta la devaluación histórica de la moneda, la adopción posterior del patrón oro y la inflación acumulada de 175 años, se calcula que esos pocos pesos de 1819 equivaldrían hoy a un jurgo. Zea también llevó panela, comó los ciclistas colombianos, por si se sentía bajo de energías a la hora de pedir prestado.

En un principio, falto de conexiones y palancas, el agente diplomático no pudo contraer deuda alguna; sólo contrajo resfríos y matrimonio. Finalmente logró que lo recibiera Sir John McMoney, ministro de finanzas británico. Cuando entró Zea en el despacho de Sir John, con su caminadito tímido, mal terciado sobre el pecho el carriel de piel de tigre, y dándole vueltas nerviosas a la corrosca con los dedos, el ministro adivinó a qué venía ese calentano. Entonces, sin decir palabra, le señaló un gran óleo que colgaba detrás de su escritorio. Era un díptico de discutible autoría (¿Constable?, ¿Turner?), en cuya mitad izquierda se veía a un tipo flaco y miserable, de traje remendado y botas perforadas por la humedad y el uso. La derecha, en contraste, mostraba a un hombre gordo y satisfecho con un puro en la boca y polainas en los zapatos. Debajo del primero decía: «Yo vendí a crédito»; y debajo del segundo, «Yo vendí al contado».

Zea captó el mensaje. Pero, por si acaso no lo había entendido, el antipático funcionario le extendió una tarjeta personal que decía:

---

**Sir John McMoney**
Ministro Británico del Tesoro

HOY NO FÍO, MAÑANA SÍ

---

En realidad, el ministro lo que buscaba era intimidar a Zea para sacarle un interés más elevado por el préstamo. Y lo logró. En el acuerdo de empréstito, la Gran Colombia se comprometía a pagar a la corona británica el 999 por ciento de interés compuesto por cada libra que Inglaterra le prestaba; en compensación, Inglaterra aceptaba cobrar apenas un interés simple del 60 por ciento por cada libra que *no* le había prestado. Quién les manda; eso pasa por haber confiado a un botánico una misión digna de herpetólogos, que son los expertos en manejar culebras.

Los términos usurarios del contrato le produjeron tanta vergüenza a Sir John, que no se atrevió a firmarlo en Londres sino en París. Temía que su esposa y sus hijos lo regañaran. Era el primero de una dolorosa historia de endeudamientos que aún no termina. El resto del asunto se surtió de manera inesperada. En marzo de 1822, Zea envió al gobierno grancolombiano el documento firmado y protocolizado; en abril del mismo año, el gobierno recibió los papeles; en mayo, el Congreso consideró que Zea era un inepto y procedió a desautorizarlo; en septiembre, el vicepresidente Francisco de Paula Santander pensó que no bastaba con desautorizarlo y, en un decreto sobre fomento de la educación primaria, metió un mico por el cual se destituía a Zea; en noviembre de ese mismo año murió el pobre Zea, desautorizado y destituido, en la población de Bath (Inglaterra).

Su deceso fue muy lamentado por sus deudos, y, sobre todo, por sus deudas.

# SÍ, SÍ, COLOMBIA

Cuando Colombia vio que, en el término de seis semanas, se retiraban Venezuela y Ecuador del país que habían formado cuatro socios once años antes, resolvió que era preciso hacer algo antes de que también se independizaran Panamá, La Ceja y Chapinero. Entonces optó por imitar a los otros dos y declararse república.

Esto ocurrió en 1831, durante una convención que se convocó en Apulo pero prefirió reunirse en Bogotá para evitar que los graciosos locales inventaran versitos de mal gusto.

Los congresistas escogieron para el flamante país un viejo nombre: Nueva Granada. En 1832 se dictó la Constitución de la República, que quedaba formada por todo lo que no se habían llevado los vecinos. Fue elegido presidente el general Santander y vicepresidente el economista José Ignacio de Márquez, quien tenía a todos convencido de que era primo hermano de Gabo y andaba ofreciendo ejemplares autografiados de *Cien años de Soledad* a quienes votaran por él.

Como Santander se hallaba fuera del país, el vicepresidente agarró las riendas del poder a partir del 10 de marzo. Márquez habría de ser elegido presidente titular en 1836, a pesar de que tenía un tic en la cabeza, de que era miope y de que había nacido en Ramiriquí.

## Pensar que fuimos así...

Colombia estaba aún en borrador. Faltaba todavía por explorarse la región oriental de Unicentro, y se sabía dónde empezaba pero no dónde terminaba el río Bogotá. Pero ya llovía a cántaros en el Chocó, y los vallenatos cantaban con las manitas abiertas, como el Niño Dios del 20 de Julio, y los antioqueños decían «hacer carrizo» y «qué cosa tan charra».

El país entero, incluyendo vendedores de enciclopedias y estudiantes nocturnos de contabilidad, tenía menos de dos millones de habitantes[1]. Ya entonces, Bogotá tenía más tiendas (3.127) que casas (2.720). Cada semana se publicaban en la ciudad varios periódicos, uno de ellos bilingüe[2]. En 1866 el presidente de la república, general Tomás Cipriano de Mosquera, sobre el cual volveremos varias veces, ganaba 9.600 pesos anuales, y el portero de la Cancillería, de nombre Emeterio Natas, ganaba 240. Ninguno de los dos podía comer lo necesario: el portero, porque la plata no le alcanzaba, y el presidente Mosquera

---

1. Para ser exactos, el censo de 1843 arrojó la cifra de 1.931.684, que es lo que tiene hoy el sector occidental de Bogotá, incluidas Ciudad Kennedy y la gente que en este momento viaja en buseta.

2. *El Constitucional* se publicaba mitad en inglés y mitad en español, pero nadie logró saber exactamente cuál era cuál.

porque tenía un defecto en la mandíbula del que ofrece-
remos interesantes detalles más adelante: no se los pierda.

La Avenida Caracas era una franja de tierra sin Dios ni ley
infestada de abismos, rocas monstruosas, asaltantes de caminos y fieras salvajes. Es decir, exactamente como ahora.

No sólo existía desde hacía tiempo la navegación por
el río Magdalena, sino que aún fluía el hoy extinto río
Magdalena. En sus orillas pululaban babillas y caimanes
en tan abundante cantidad, que los propios caimanes ador-
naban sus madrigueras con babillas disecadas.

Lo inglés estaba de moda. Los hombres vestían como
las mujeres de hoy —«calzón corto de paño blanco, medias
de seda, zapatos con hebilla y casaca negra», describen
los bienaventurados Henao y Arrubla— y las mujeres vestían como los sofás del Palacio de San Carlos: terciopelo
de cola con borlitas de oro, faldas hasta el suelo y descu-
biertas apenas las extremidades.

Las familias más distinguidas tenían siempre una hija
solterona que tocaba *Para Elisa* en un piano de cola, y
las familias menos distinguidas tenían otra hija solterona
que también tocaba *Para Elisa* en un piano de pared.

Se bailaba la contradanza, de lejano origen inglés[1], y
dos aires peruanos, el ondú y el londú, razón por la cual
las fiestas eran de lo más abú. Ridas.

En los patios de atrás crecían los brevos. Era tan con-
substancial el brevo al patio, que, según algunos expertos,
si uno sembraba un brevo, le crecía un patio debajo.

El más excitante pasatiempo de los cachacos bogotanos
era ajustar su reloj[2] de bolsillo con el de la iglesia de San

---

1. La denominación del baile proviene del inglés: *country dance*.
Es decir, música para bailar en el Country.

2. Reloj es la segunda de las cinco palabras españolas que terminan
en jota. A que no adivina las otras tres...

Francisco, calarse de lado el cubilete y luego ponerse a decir pendejadas.

## Pilares de la nacionalidad

Siguiendo la costumbre, la nueva república procedió de inmediato a procurarse un escudo de armas y contraer un empréstito. Esto último resultaba muy fácil, pues el que firmó Zea daba para repartir deudas entre todos los antiguos miembros de la Gran Colombia, y sobraba para invitar amigos[1].

En cuanto al escudo, uno de los diseñadores gráficos consultados por el Congreso propuso un emblema dividido en tres fajas horizontales. La primera contendría los cuernos de la abundancia y una granada, en alusión al nombre de la nación; la segunda, un gorro frigio[2]; y la tercera, un paisajito marino bastante pintoresco que simboliza el istmo de Panamá.

---

1. Viéndolo bien, la deuda externa de la Gran Colombia tampoco era tan elevada como dicen. ¿Saben a cuánto ascendió el total de la misma a la hora de repartirse entre Colombia, Venezuela y Ecuador? A un poco menos de 103 millones de pesos. Con eso apenas se compra uno un apartamento modesto en el norte de Bogotá. En aquella época, sin embargo, habría servido para pagar el sueldo del portero Emeterio Natas durante 429.166 años y medio. Dudo, sin embargo, de que Natas hubiera durado tanto.

2. En los anales del Congreso consta la discusión que se formó cuando uno de los delegados más ancianos lanzó una proclama vociferante contra la imagen de un preservativo flácido en pleno símbolo nacional. Todo se aclaró gracias a que lograron explicarle que no se trataba de un gorro *frígido*, sino *frigio*, equivalente a la cachucha de los revolucionarios franceses.

Coronando el blasón desplegaría las alas un cóndor con una guirnalda en el pico[1] y, en sus garras, una cinta de oro con la inscripción *Libertad y Orden*.

El escudo gustó mucho y los delegados lo aprobaron, no sin antes enchufarle cuatro pabellones —dos a cada lado— con el tricolor que había sido importado en 1806 por don Francisco Miranda, acogido en 1811 por el Congreso venezolano y adoptado en 1821 por el Congreso de Cúcuta. Lamentablemente, el artista distaba bastante de ser un visionario. Como es fácil comprobarlo, cóndores ya casi no quedan; en 1903 perdimos a Panamá; en vez de cuernos de la abundancia, tenemos abundancia de cuernos; la granada evoca un nombre ya inexistente; la libertad de que gozamos es relativa; y lo del orden parece un chiste.

El único acierto parece ser el capuchón frigio, homenaje imperecedero a todos los que en este país viven de gorra.

Al firmar la nueva Constitución, los padres de la patria se fajaron unos discursos ampulosísimos en los que hablaban de la libertad y la justicia como bases de la idiosincrasia colombiana.

## Democracia intermitente

Era una exageración, por supuesto. Los distintivos de la nacionalidad colombiana, según recientes investigaciones, no son la libertad, el orden, el progreso, ni cosa que se les parezca. Sino los siguientes:

---

1. El Inderena no ha logrado identificar hasta ahora ningún ejemplar de este curioso cóndor que se nutre de guirnaldas, conocido también como «cóndor guirnaldero». Algunos científicos consideran que una infusión de laurel puede ser un buen bajativo para aves y personas que se alimentan de carne descompuesta.

• Señalar con la boca.

• Pararse a conversar en las puertas.

• En el caso de las señoras, ir al baño en grupo.

• Comerse la fruta antes del almuerzo.

• Limarse las uñas con la caja de fósforos.

• Cubrirse la boca con un pañuelo al salir de vespertina.

• Llamar «papito» al hijo y «mijita» a la señora.

• Antes de sentarse, dejar enfriar el puesto del que acaba de levantarse en el bus.

• Colocarse una toalla al cuello en tierra caliente.

• Los sábados por la mañana, lavar el carro en la calle con bata y manguera.

Hasta la fecha, no hay carta magna alguna que haya reconocido en Colombia los anteriores pilares de la nacionalidad. Y eso que hemos tenido un buen número de constituciones[1].

## Todo es posible en Rionegro

De todas ellas, la más divertida era la de 1863, adoptada en el municipio de Rionegro bajo inspiración de los más extremos principios del federalismo y la libertad individual. Para engañar a los viejos acreedores europeos, la nueva carta le cambió el nombre al país y lo rebautizó Estados Unidos de Colombia. El truco surtió efecto. Muchas de las facturas bancarias y cuentas de cobro fueron enviadas a Washington.

---

1. Colombia ha tenido 13 constituciones entre 1811 y 1991, de las cuales 12 se dictaron entre 1811 y 1886 (en promedio, una cada 13.8 años). Es una cifra modesta en el cartódromo latinoamericano, cuyo promedio es de una constitución cada 12.6 años. Hay países, como Venezuela, con 25 constituciones en 150 años. El récord corresponde a República Dominicana, con 32. Las más modernas constituciones dominicanas se autodestruyen cuando el ciudadano termina de leerlas.

Mientras se aclaraba el embrollo y los montepíos averiguaban la verdadera dirección del destinatario, el país tuvo
unos meses de respiro en el pago de sus deudas. Durante
el tiempo de existencia de los Estados Unidos de Colombia
se hizo protocolario que el embajador gringo y el nuestro
se llamaran entre sí «Excelentísimo Tocayo».

La Constitución del 63 lo permitía todo. Eran libres la
fabricación de municiones y el comercio de armas, como
sigue ocurriendo hoy aunque la actual Constitución diga otra
cosa; también estaba consagrado el Derecho de Emberraca-
miento, Rebelión y Tumbada en los Estados soberanos,
que eran Antioquia, Bolívar, Boyacá, Cauca, Cundinamarca,
Magdalena, Panamá, Santander y Tolima[1]. Cada Estado tenía
su propio ejército y si algún general quería trabajar por su
cuenta y montar sus propias Fuerzas Armadas, la Carta le
reconocía tal derecho. En caso de que un ciudadano estuviera
en desacuerdo con la Constitución, la Constitución lo autorizaba a que se dictara su propia Constitución.

El título de garantías personales contemplaba el derecho
de los empleados a tomar hasta tres tintos por hora (uno
con leche); el de los espectadores de conciertos a toser en
público (estornudar sólo se permitía en funciones benéfi-
cas); el de las señoras a maquillarse mientras cambiaba el
semáforo; el de los novios a besar a la novia en público
(una posterior reforma constitucional otorgó a las novias
el derecho a rehusarse si el novio usaba palillo de dientes);
y el de los niños a derramar la sopa en el inodoro. En

---

1. Una ley de 1867 reglamenta el «sagrado derecho de insurrección».
Su primer artículo dice: «Cuando en algún Estado se levante una porción
cualquiera de ciudadanos con el objeto de derrocar el Gobierno existente
y organizar otro, el Gobierno de la Unión deberá observar la más
estricta neutralidad entre los bandos beligerantes». Parecería un chiste
de historiador bufo, pero no lo es.

suma, cada quien hacía más o menos lo que le daba la gana y el Estado se limitaba a mirar y recaudar tributos, aunque uno de los apartes de la Constitución del 63 autorizaba a los ciudadanos a hacerles pistola a los inspectores si éstos llegaban vestidos con atuendo que desagradara al contribuyente. La libertad de conciencia era absoluta, hasta el punto de que muchos colombianos pensaban que Carlitos Muñoz era Dios y nadie los molestaba por ello.

La Constitución de 1863 desató numerosas guerras civiles y perduró hasta 1886. Todo indica que desde 1864 los dos partidos estaban decididos a derogarla, pero la infatigable actividad bélica no les permitió entender que ambos pensaban lo mismo. La hemorragia de constituciones se detuvo entonces durante más de un siglo, y en 1991 fue proclamada una nueva. Esta vez, por fortuna, los constituyentes no se metieron con el escudo nacional ni la bandera. Pero les dio por designar nuevamente a Bogotá con el nombre de Santafé, cosa que los colombianos se han negado a hacer porque saben que ese nombre corresponde, por derecho propio, al más importante de sus equipos de fútbol.

### El general López esgrime la paz

Uno de los primeros actos positivos de la nueva república consistió en reincorporar al territorio nacional el trozo que se había adjudicado Ecuador. El Congreso granadino de 1831, convencido de que sólo el derecho y la juridicidad son argumentos válidos para gobernar las relaciones entre los pueblos, alegó ante el general Juan José Flores, presidente ecuatoriano, el *uti possideti iuris*, principio latino según el cual las disputas territoriales han de zanjarse de acuerdo con lo que cada Estado poseía al suscitarse el diferendo. Era una excelsa apelación al derecho internacional, que evocaba, de paso, el fundacional derecho de gentes de Suárez y Vitoria. Con ello hacía Colombia, una vez más, profesión de fe en la ley y en la resolución pacífica de los conflictos, según aprendimos de los padres del derecho.

De todos modos, y por si acaso el general Flores no había aprendido suficientes nociones de derecho en la escuela, la Convención colocó al general José Hilario López al frente de un formidable ejército y lo mandó a recuperar a sangre y fuego el territorio usurpado. Según se temía, Flores se había rajado cuando niño en educación cívica, por lo cual creía que el *uti possedeti iuris* era una parte de la misa que venía después del *confiteor*. Ante tan incómodas circunstancias, el general López tuvo que olvidarse de preámbulos jurisprudenciales y enfrentar su misión pistola en mano. La cumplió cabalmente, e incluso se le fue la susodicha mano. No sólo reintegró a Buenaventura, Buga, Cartago, Tuluá, el Saladito, Cali, Chipichape, Yumbo, Popayán, Ipiales, La Unión y Pasto sino que, cuando le ordenaron que parara, había planeado ya extender la frontera hasta Santiago de Chile y andaba preguntando qué idioma hablaban en Argentina. Se cuenta que en el camino de regreso se le cayó Túquerres y tuvo que volver por él.

Desde aquellos lejanos tiempos en que se cimentó la república de Colombia nacieron ciertos mitos nacionales. Uno es el de la continuidad democrática. Según repiten nuestros estadistas e historiadores, el país tiene una tradición democrática y electoral solamente interrumpida en dos ocasiones: en 1854, con el cuartelazo del general José María Melo, y en 1953, con el golpe del general Gustavo Rojas Pinilla (ver lecciones correspondientes).

La verdad es un poco más cruda. Además de estos dos golpes hay que registrar —en tiempos de la Gran Colombia— el del general Urdaneta; y, más tarde, el derroca-

miento del presidente Bartolomé Calvo por las tropas rebeldes del general Tomás Cipriano de Mosquera, en 1861;
el golpe contra el propio Mosquera, en 1867; y la maniobra
del vicepresidente José Manuel Marroquín que dejó en la
calle al presidente Manuel Antonio Sanclemente en 1900.

Cinco golpes en 164 años de vida republicana —sin
mencionar intentonas fallidas, atentados, ni amarradas sin
consecuencias— arrojan un promedio de un golpe cada
72 años. En otras palabras, un colombiano promedio, al
morir a los 72 años de edad debe haber presenciado casi
dos y medio golpes de Estado. Las matemáticas no mienten.

De modo, pues, que la democracia colombiana no ha
sido ese maravilloso modelo de continuidad que quieren
vendernos en los discursos, sino un proceso que se ha
surtido golpe a golpe y, peor aún —como veremos más
tarde— verso a verso.

# GODOS Y CACHIPORROS

Desde muchos años antes de que naciera Colombia como república, los patriotas se habían dado cuenta de que la expulsión de los españoles iba a ser un grave problema. Mientras ellos sojuzgaron a las Indias occidentales en tiempos de la Colonia, los ciudadanos escogían bando muy fácilmente. Unos estaban con los chapetones y otros contra ellos.

Pero a partir del 20 de julio de 1810, cuando salió a marchas forzadas el último virrey[1], los criollos se dieron cuenta de que, a menos de que inventaran rápidamente una manera eficaz de dividirse, iban a estar condenados para siempre a la armonía y la unidad nacional.

---

1. *Nota del traductor*: Sobre este y otros aspectos de la historia patria podrá usted encontrar apasionantes relatos en el primer tomo de estas *Lecciones de histeria de Colombia*. Hay otros libros muy divertidos del mismo autor sobre diversos temas, que no dudamos en recomendar también.

Por fortuna, apareció entonces un grupo que se encargó de defender con pólvora y espada el centralismo y otro que empuñó las armas en favor del federalismo. Cuando se impuso al fin la idea centralista, los colombianos, alarmados, reunieron la Convención de Ocaña para ver cómo lograban dividirse de nuevo. En este sentido, la asamblea de 1828 fue todo un éxito. De ella surgieron dos enemigos recalcitrantes: los bolivarianos y los santanderistas.

Pero la feliz división duró muy poco. Como se había pactado en torno a caudillos necesariamente efímeros, y no a odios profundos y verdaderos, al desaparecer los caudillos se quedaron sus seguidores sin muchas ganas de pelearse con los rivales. No eran, pues, unos partidos serios y maduros, capaces de provocar guerras y derramamientos de sangre en forma estable, sino vulgares imitaciones de partidos, apenas aptas para ocasionales riñas de taberna.

En 1830 murió el Libertador y una década después lo imitó el general Santander. El llamado Hombre de las Leyes se sometió a la más implacable de ellas, la que nos manda sin apelación al otro lado, el 6 de mayo de 1840 en Bogotá. Falleció de una enfermedad del hígado producida, según el historiador Manuel Uribe Angel, «por el predominio bilioso de su temperamento». Tan bilioso sería que, pocas semanas antes de morir, le recriminaron en el parlamento que hubiera fusilado a 39 españoles durante la guerra de independencia, y su respuesta fue: «¡Sólo lamento que no hubieran sido treinta y nueve mil!». Convengamos en que fue un poco excesivo, pues en esa época la población de Bogotá no pasaba de las cuarenta mil almas.

Muertos los dos jefes, los colombianos afrontaban de nuevo el grave peligro de la unión cuando aún no habían transcurrido doce años del glorioso enfrentamiento.

Hay que decir, en honor de aquellos patricios de los primeros tiempos, que emprendieron muchos y muy nobles intentos fratricidas que no llegaron a fructificar. Quedan, como constancia histórica, los apelativos con que se insultaban unos a otros. Algunos de estos calificativos han sobrevivido hasta nuestros días:

> Bolivianos vs Santanderinos
> Progresistas vs Serviles
> Radicales vs Fanáticos
> Liberales-Rojos vs Ministeriales
> Cachiporros vs Godos
> Rojos vs Chulavitas
> Hi*** vs Mal***
> %#!&* vs $("%!

La situación era delicada. El tiempo pasaba raudamente y los colombianos no habían sido capaces de inventar dos partidos que les permitieran dividirse y enfrentarse sin protocolos. Las pasiones, mientras tanto, estallaban por los flancos más inapropiados: aumentaba el número de ciudadanos (en el censo de 1851 ya eran 2.240.054), florecía la literatura de ideas e, incluso, alcanzó a crearse en 1839 una comisión científica cuya misión era la de levantar la carta geográfica de la república.

En otras palabras, Colombia estaba condenada a tener mapas detallados del territorio nacional cuando aún carecía de partidos que intentaran repartírselo.

A última hora prevaleció la cordura, y la tal comisión sólo vino a constituirse en 1850, cuando ya la nación gozaba de dos colectividades históricas dispuestas a despedazarse entre sí.

La memorable ocasión se presentó al llegar las elecciones de 1849. Eran las quintas que celebraba la república. En las anteriores habían triunfado Santander, Márquez (el primo de Gabo), el general Pedro Alcántara Herrán y el general

Tomás Cipriano de Mosquera. Cuando se planteó elegir al sucesor de Mosquera (en aquella época el Congreso escogía al presidente: era menos democrático pero más barato y, sobre todo, le ahorraba al sufrido ciudadano las cuñas electorales por televisión), los líderes políticos se dieron cuenta de que faltaban partidos. Acudieron entonces al sistema taurino de los papelitos entre un sombrero para escoger dos equipos de legisladores con el fin de que cada uno inventara un partido.

Tres semanas después, cuando volvieron a reunirse para protocolizar la división, se dieron cuenta de que ambos habían inventado el partido conservador. La solución fue echar una moneda al aire: el equipo ganador se quedaría con el partido ya inventado, y los otros tendrían que oponerse a él y buscar un nombre para sí. También se sorteó quién había estado en el poder, y resultó nuevamente favorecido el conservatismo. Fue así como se determinó que Mosquera era conservador. El propio Mosquera lo ignoraba, y años después resolvió rebelarse contra esta inconsulta etiqueta.

Los del equipo contrario se enfrentaron en torno al nombre que debían adoptar, división que confirmó la madurez de su movimiento. Unos defendían el apelativo de liberales y otros el de radicales. Después aceptaron llamarse, además, *democráticos y gólgotas*, para que los editorialistas pudieran utilizar sinónimos en sus artículos. Los gólgotas se bautizaron así porque sabían que un día iban a ser crucificados por Rafael Núñez, otro personaje del que nos ocuparemos más adelante. Las ideas de los gólgotas eran una mezcla de mal humor, socialismo y liberalismo, como les pasa a algunos columnistas de *El Espectador*.

Unos y otros escogieron como jefe al general José Hilario López, el que recuperó el occidente del país de manos ecuatorianas. En cuanto a los conservadores, tomaron para sí el apodo de *godos*, que antes se reservaba a los españoles. Como explicaron sus asesores de imagen, se trataba de un nombre conocido, de fácil recordación y con posicionamiento en el mercado.

De este modo pudieron al fin ponerse zancadillas y hacerse trampa en las elecciones dos partidos organizados, antagónicos, con nombres propios y con jefes dispuestos a hacer cualquier cosa por perjudicar al otro. La verdad es que sus ideologías no diferían excesivamente. Pero no se trataba de mostrarse exquisitos en esta materia, sino de poner fin al bochornoso espectáculo de un país sin sectarismos políticos.

Con todo, es posible decir que, desde el punto de vista ideológico, los liberales liberaban y los conservadores conservaban. ¿Qué querían liberar los liberales? Básicamente, comercio, esclavos, educación y conciencias. ¿Qué querían conservar los conservadores? Básicamente, tierras, esclavos, religión y privilegios. Estoy generalizando, por supuesto. El historiador Alvaro Tirado Mejía advierte al respecto: «No todos en el partido conservador eran terratenientes y esclavistas». Sería más indicado hablar de «terratenientes y/o esclavistas». De los fundadores del partido conservador, Mariano Ospina Rodríguez, por ejemplo, era terrateniente pero no esclavista; y Julio Arboleda era comerciante de esclavos pero no terrateniente. José Eusebio Caro no poseía tierras ni esclavos, pero era tan mandón y autoritario que a cualquiera le habría parecido que los tenía.

¿Qué debía el liberalismo a la vieja secta santanderista? Muy poco. De hecho, según un tratadista político del siglo pasado, Santander tenía un temperamento «mucho más conservador que liberal; si hubiera vivido diez o quince años más, habría acabado por ser el jefe del verdadero conservatismo neogranadino».

¿Qué debía el conservatismo a la antigua agrupación bolivariana? Casi nada. Bolívar, en realidad, era mucho más liberal que conservador en sus costumbres de alcoba, y medio masón y descreído. ¿Qué deben, en fin, las colectividades tradicionales a aquellas que primero se formaron durante la independencia? Apenas el hecho de llamarse partidos. Nada más. Es que, como decía Zea, «aquí el único que debe algo soy yo».

A través de la historia, godos y liberales han demostrado ser bastante similares. Sus diferencias no son de sustancia sino de herencia. Los godos tienen hijos godos, así como los tigres tienen hijos tigres, y los cachiporros tienen hijos cachiporros, así como los leones tienen hijos leones. Hay, sin embargo, tres temas que durante años marcaron distancias entre ellos. Se trata de la cuestión religiosa, la cuestión educativa y la cuestión moral.

## La cuestión religiosa

Las relaciones entre la Iglesia y el Estado fueron fuente de interminables debates históricos. Los godos afirmaban que, por derecho natural, Dios es el origen de toda autoridad, toda sabiduría y todos los directorios conservadores. Su mayor interés era encabezar las constituciones con un saludo a Papá Lindo, como hacen los deportistas con sus patrocinadores. Algunos hasta querían darle carnet del partido, y otros confundieron a Dios con Mariano Ospina Rodríguez debido a su barba blanca.

Los liberales se contentaban con reunirse en tenidas masónicas secretas durante las cuales se aburrían soberanamente, y expulsar en forma periódica a los jesuitas del país. Mosquera, que tenía un carácter endemoniado, llegó a decomisarles los bienes, afiliar la comunidad franciscana a la Cámara Junior, escribirle cartas groseras al Papa («A que no sabe usted, Eminentísimo Señor, lo que es desabotonarse la bragueta, ni hacer pipí contra una mata de lulo», le decía en una de ellas a Su Santidad Pío IX) y crear la tarjeta profesional de sacerdote, sin la cual estaba prohibido decir misa (ver más adelante la lección titulada «Mascachochas»).

Desde hace un tiempo los partidos políticos han superado la cuestión religiosa. Ahora los liberales tienen hijos curas, y los curas tienen hijos liberales.

## La cuestión educativa

¿Es posible analizar la cuestión educativa sin hacerlo también con la cuestión religiosa? ¿Si o no? He ahí la cuestión.

La respuesta es... no. La cuestión educativa ha estado estrechamente relacionada con la cuestión religiosa, hasta el punto de que resulta imposible referirse a la cuestión educativa sin referirse también a la cuestión religiosa, y viceversa: no se puede estudiar la cuestión religiosa sin pronunciarse sobre la cuestión educativa. Y al revés.

Muchos historiadores van más lejos, y consideran incluso que es *peligroso* pretender hablar de la cuestión educativa a espaldas de la cuestión religiosa. Se dice que un agricultor del Quindío que en 1913 intentó exponer la cuestión educativa sin mencionar para nada la cuestión religiosa, quedó mudo; y un pescador del Cabo de la Vela que preguntó por qué se había quedado mudo el agricultor del Quindío, quedó ciego.

Así las cosas, es mejor dejar la cuestión educativa de ese tamaño, para no tener que volver a la cuestión religiosa. Sin embargo, el que quiera volver a la cuestión religiosa por puro capricho o por necesidad sentida, sólo tiene que retroceder unos renglones. Allí encontrará nuestro análisis sobre la materia, al cabo de la cual podrá pasar a la cuestión educativa.

## La cuestión moral

Desde los primeros tiempos de la república se notó que existía entre conservadores y liberales una profunda escisión en materia de costumbres. Mientras aquellos sostenían que el sexo sólo debía practicarse con la luz apagada y de noche, los liberales opinaban que estaba bien hacerlo durante la siesta y a media luz. La iglesia intervino en favor de los conservadores (ver «La cuestión religiosa») y prohibió todo acto sexual que no terminase en embarazo.

La situación era ya bastante tensa cuando llegaron las nuevas ideas francesas producto de la revuelta de París de 1848, la abdicación de Luis Felipe, la reunión de la Asamblea Nacional y la elección de Luis Napoleón, todas las cuales registraron profunda influencia en la conducta sexual del liberalismo americano. Esta nueva doctrina no sólo defendía la posibilidad de hacer el amor durante la siesta, sino que reivindicaba el derecho de los esposos al sexo oral. Entusiasmado, el liberalismo colombiano se apresuró a incluir el sexo oral en sus estatutos, lo que produjo verdadero escándalo en el partido conservador. «O practicamos el sexo u oramos. No es posible hacer las dos cosas al mismo tiempo», afirmaba con candorosa incredulidad don José Eusebio Caro, fundador del partido conservador y de la moda de las patillas largas.

Astutamente, la Iglesia quiso mediar entre los rivales y pretendió explicar que la expresión *sexo oral* debía interpretarse como «el derecho de los esposos a hablar mucho

sobre sexo». Una homilía del arzobispo Manuel José Mosquera agregaba que, así definido, el sexo oral era permisible, siempre y cuando condujera al embarazo.

Ante esta interpretación acomodaticia, saltaron los gólgotas ultrarradicales y dijeron que, por el contrario, el *sexo horal* debía entenderse como el derecho de la pareja a hacer el amor a toda hora.

Surgió entonces una fracción del partido conservador que afirmaba que el sexo oral era posible, pero no con la esposa.

La confusión era feroz. El 7 de marzo de 1849 fue elegido José Hilario López en la iglesia de Santo Domingo, donde se reunía la Cámara de Representantes, mientras afuera una turbamulta exigía la libertad de sexo, tanto en su aplicación oral como en ungüento. Los gólgotas hicieron aún más extrema su posición cuando incluyeron el sexo oral en la Constitución de 1853 como una de las obligaciones del ciudadano. Esto dio origen a la llamada Guerra de los Gustos (a veces citada equivocadamente como Guerra de los Justos), en la que el general Julio Arboleda tomó las armas contra el gobierno y contra el sexo oral forzoso enarbolando el lema de «Entre gustos no hay disgustos». La Iglesia bendijo la rebelión conservadora, siempre y cuando condujera al embarazo.

La tolerancia del sexo oral produjo una honda crisis en el liberalismo. Un famoso personaje caracterizado por sus costumbres de alcoba excesivamente tímidas, el escritor y ensayista José María Samper[1], abandonó indignado el partido liberal e ingresó al conservador. Al día siguiente, su esposa Soledad Acosta de Samper —cuyo apelativo, más que un nombre, era una descripción de su melancólica

---

1. Según algunos historiadores, se trata de un mal de familia. Quién sabe.

situación sexual—, dejó indignada el partido conservador
e ingresó al liberalismo.

El debate sobre la libertad de alcoba siguió siendo una
de las fronteras divisiorias de los partidos hasta 1954. En
ese año llegó la televisión al país, y a todos se les olvidó
que es posible divertirse sin necesidad de la pantalla chica.
Desde entonces ha surgido una nueva discusión: la libertad
de canales. La Iglesia apoya la libertad de canales, siempre
y cuando conduzca al embarazo.

●

Hemos mencionado a algún personaje que cambió de
partido. Se conocen otros ejemplos comparables, pero no
son numerosos: Tomás Cipriano de Mosquera (de conservador a liberal); Rafael Núñez (de liberal a conservador);
el historiador José María Cordovez Moure (de radical a
godo); los congresistas radicales Pedro Fernández Madrid
y José Caicedo Rojas, que se voltearon al partido conservador; y los diputados Jorge Gutiérrez Lara, Senén Bene-
detti y Pablo Arosemena, quienes comenzaron votando
con los conservadores en la famosa elección de José Hilario
López y terminaron montando un directorio liberal en el
atrio de la iglesia de Santo Domingo.

El único caso importante de transfuguismo político registrado en este siglo ha sido el del abogado y político
Ramiro Carranza, pero ya no se sabe bien qué era, ni en
qué se convirtió. Es más: hace rato no sabemos nada del
buen Ramiro.

Liberal y conservador no han sido los únicos partidos
políticos colombianos. El tercer partido tradicional, apenas
un poco más reciente que los anteriores, es el comunista,
que exige una gran fidelidad e imaginación de sus seguidores porque en cada elección se cambia el nombre. Tam-

bién el M-19, que empezó como marca de vermífugos y degeneró hasta volverse agrupación política. Se sabe de algunos otros, pero no ha podido probarse que tengan más adeptos que quien los funda, su mujer y sus hijos.

# GUERRA ES GUERRA

En tiempos menos mezquinos que los que ahora vivimos, cuando un caudillo colombiano se sentía inconforme con el resultado de una elección, montaba una guerra civil y salía a combatir al rival con las armas. Ahora se pone a llorar, convoca una rueda de prensa y se va a darle quejas a la embajada americana. Tal vez no exista más patética prueba que ésta sobre la decadencia del país.

Colombia tiene fama de ser una nación violenta. Pero vale la pena que analicemos las estadísticas, porque los números suelen indicar cosa distinta a las habladurías populares. Algunos historiadores alarmistas afirman que en el territorio nacional se han librado como veinte guerras civiles. No es cierto. Son más. Otros, que pretenden mejorar la imagen del país, afirman que tan sólo se ha presentado una guerra civil propiamente tal. Eso sería verdad si estimamos que ella empezó el 20 de julio de 1810 y no ha terminado aún.

A su turno, el historiador aracatacante Gabriel García Márquez señala que el coronel Aureliano Buendía peleó

32 guerras civiles y las perdió todas. Se trata, también, de un dato falso. El autor del libro que ustedes tienen entre manos[1] estuvo revisando en forma cuidadosa la nómina de generales y coroneles de las guerras civiles colombianas y sólo encontró un Buendía. Pero no se llama Aureliano ni, al parecer, guarda parentesco alguno con aquel. Se trata del coronel Ramón Buendía, más tarde ascendido a general de las tropas liberales durante la Guerra de los Mil Días. Este Buendía llegó a ser comandante de la Cuarta División rebelde y figura con varias hazañas bélicas a su haber, entre ellas las acciones de San Pablo, Chiriquí el Grande y Bocas del Toro, en tierra panameña. Allí, durante el mes de abril de 1902, derrotó tres veces a los ejércitos oficiales[2].

El dato más fidedigno de que disponemos señala que en el siglo XIX solamente tuvieron lugar 23 guerras civiles en territorio colombiano, cifra muy distinta a las 32 del escritor aracatacante. Si a ellas se suman las guerras, guerritas y pseudo-guerras civiles del siglo XX; la época que se ha conocido como La Violencia; la resistencia de los combatientes liberales de los Llanos; el bandolerismo; el medio siglo de guerrillas; la represión oficial de toda pelambre; los grupos paramilitares; el narcoterrorismo y la delincuencia callejera, es fácil llegar a la conclusión de que la fama que tenemos es injusta. Somos mucho más violentos de lo que comúnmente se cree.

---

1. No dudamos en recomendarlo a nuestros lectores, pues conocemos personalmente a su autor.

2. Pa'Dios que sí. El que quiera leer sobre las hazañas del verdadero, el genuino, el auténtico coronel Buendía, que consulte las *Memorias de la Guerra de los Mil Días*, del general Lucas Caballero. Rechace imitaciones.

Es prudente recordar que apenas una de las guerras civiles, la de 1860-1861, terminó con la victoria de las tropas rebeldes. Todas las demás vieron el triunfo de los ejércitos oficiales. Esta circunstancia confirma el amor del colombiano por las instituciones, su desagrado por las soluciones armadas y su espíritu altivo y generoso, que lo lleva a procurar la mejor solución, aunque pueda resultarle desagradable.

Hay que decir también que Colombia ha disfrutado de varios períodos de paz. Algunos historiadores hablan de un Viernes Santo en tiempos del presidente Manuel María Mallarino (1855-1857); otros agregan un fin de semana de julio durante la administración de Carlosé Restrepo (1910-1914); y hay quienes mencionan, además, tres días seguidos de diciembre por allá en la década del cuarenta, pero no se acuerdan bajo qué gobierno.

En total, pues, hablamos de casi una semana de tranquilidad y concordia, sólo alterada en forma efímera por un levantamiento de tropas en el sur, combates entre soldados regulares e insurrectos en occidente y el intento de separación de una región fronteriza en los llanos orientales.

## Datos generales

La guerra civil entonces era muy distinta. Era menos guerra y más civil. No hay que sorprenderse al ver que, en aquella época, los generales se subían al caballo, agarraban una lanza y salían a pelear como cualquier soldado. La explicación no es que fueran más corajudos que los generales de hoy, sino que entonces prácticamente no había soldados. Todo combatiente era general, salvo que se demostrase lo contrario. Los demás eran mulos, doctores, o gente pobre. Anota al respecto el historiador Gonzalo España: «El arte de guerrear era un oficio muy extendido y resultaba fácil, para los hombres de cuna afortunada, hacerse generales. Un general podía hacer general a cualquiera con sólo llamarlo general en un momento de apuro». Si el momento de apuro se prolongaba, o el general era tartamudo, podía poner en una sola camada quince o veinte generales.

La única manera de distinguir a un general de un recluta era que durante la batalla el recluta hacía fuego y el general hacía generales. La confusión aumentaba porque había generales del ejército oficial y generales rebeldes, y todos eran socios del Club Militar. Cada cuatro años, con el ascenso de un partido al poder y la derrota del otro, los generales regulares pasaban a ser rebeldes y viceversa. Si un ciudadano quería ser general sin necesidad de alistarse en ejército alguno, le bastaba con darle el teléfono a un general enemigo y pedirle que lo llamara en un momento de apuro.

Hay muchas anécdotas que recuerdan hasta qué punto era fácil conseguir los galones de general. Durante la acción de La Donjuana (Guerra de 1876), el comandante Alejandro Posada gritó a un corneta:

—¡Toque diana mañana a las cinco en punto para levantada **general**!

El corneta entendió mal la orden.

—Hermano —le comentó dichoso a otro de los reclutas—: desde esta noche duermo en hamaca porque me ascendieron.

Y no se despertó al día siguiente. El general Posada fue derrotado por los ejércitos liberales que comandaba el general Sergio Camargo.

Las guerras civiles cumplían dos propósitos principales. El primero, dirimir contiendas. Y, el segundo, recoger una serie de nombres dignos de ingresar a las novelas de García Márquez o las telenovelas de Bernardo Romero Pereiro.

La siguiente lista auténtica de combatientes liberales de
la Guerra de los Mil Días[1] permite saber que muchos no-
velistas y telenovelistas podrán abastecerse durante años
de la vieja nómina militar:
Temístocles Rengifo
Teófilo Erazo
Heliodoro Vernaza
Plácido Serrano
Balbino Alvarado
Epimenio Plaza
Narciso Castellanos
Cenón Valencia
Plinio Oliveros
Domitilo Cabezas
Perfecto Maure
Olimpo Román
Ulpiano Sencial
Póspero Ferrer
Arcángel Siervo
Venancio Betancur
Edmundo Botello
Bernardino Lombana
Aristides Castilla
Victoriano Lorenzo
Fabricio Becerra
Rosendo Herrera
Capitolino Obando
Lucindo Poso
Incandescente Ramos[2]

1. Mil días equivalían entonces a 2,739726 años, aproximadamente.
2. El general Incandescente Ramos dejó un libro de memorias de
guerra, hasta ahora inédito, que publicamos a manera de anexito al
término del presente capítulo. Lo recomendamos vivamente.

Eran nombres redondos, sonoros, castellanos, varoniles. Hasta el comandante Tránsito Ríos, jefe del batallón «Boyacá», y el sargento mayor Inés Melgar, segundo jefe del batallón «Gaitán», que eran hombres y no mujeres, sonaban a macho. ¿Quién podría empezar hoy una guerra civil respetable cargado de Walters, Jacksons, Wilfreds, Freddies y Hoovers?

La mayoría de las guerras civiles fueron carnicerías largas e inútiles, aunque no exentas de valor y gallardía. Si no hubieran sido colombianas sino gringas, Hollywood se habría encargado de desplegarlas en esplendoroso technicolor. En ese caso habrían sido mundialmente famosas batallas como La Humareda (*The Big Smoke*), Aguadulce (*Sweetwater*), Los Chancos (*The Chancos*) y El Oratorio (*The Little Chapel Mainly Devoted to the Pious Action of Praying*).

A lo largo de muchas guerras acabaron por destacarse varios generales. Hemos seleccionado a algunos de los más bravos y valerosos, acompañados por los títulos de las películas en que podían actuar, para que, sin distingos de partido, los cinematrografistas interesados procedan a configurar los elencos:

*Los santos van a la guerra* («When the Saints go Marchin' in»): las increíbles aventuras de los generales Santos Acosta, Santos Gutiérrez y Vargas Santos, tres compadres valientes y liberales.

*Solo contra todos* («Uribe II Defeats the Gothos Vergajus»): relata la batalla de Peralonso, en la que el general Rafael Uribe Uribe se enfrenta al ejército conservador y lo derrota.

*Todos contra Solo* («Uribe II is Defeated by the Gothos Vergajus»): segunda parte de *Solo contra todos*, relata la batalla de Palonegro, en la que el general Rafael Uribe Uribe se enfrenta al ejército conservador y es derrotado.

Señalábamos atrás cómo los combatientes de las luchas civiles eran feroces guerreros, pero, al mismo tiempo, unos verdaderos *gentlemen*. Lo cortés no quitaba lo valiente, ni lo valiente quitaba lo cortés, y no por ser menos valiente se era menos cortés, ni por ser más o menos cortés se dejaba de ser más o menos valiente, pero sólo a veces.

Prueba de ello fue la guerra de 1876, contienda de caballerescos perfiles que declaró el partido conservador después de que el liberalismo había elegido presidente a Aquileo Parra, un líder de rúbrica tan confusa que los decretos parecían firmados por *Aquí la Perra*. La victoria liberal lanzó a las armas a los godos de Antioquia y Tolima, estados en los que gobernaba ese partido. En provincia se cometieron atrocidades y tuvieron lugar batallas feroces a lo largo de dos años. La más sangrienta y famosa de ellas fue la de Garrapata, que tuvo lugar el 20 de noviembre de 1876 en las llanuras del Tolima. Allí se enfrentaron 5.000 soldados regulares (en realidad, había unos muy buenos y otros muy malos, pero hablamos del promedio) y 7.000 rebeldes. Todos murieron. Sólo sobrevivieron los insectos que habían acumulado los reclutas en las plantas de los pies a lo largo de sus largas caminatas por maniguas y pantanos. Pero también las garrapatas se fueron de los pies a las manos y terminaron matándose a mordiscos sobre la ardiente explanada. La escena resultaba dantesca: al lado de los soldados y cabalgaduras muertos se veía tendidas a 11.892 garrapatas liberales y 26.011 garrapatas conservadoras.

Las ladillas y los piojos de ambos bandos se aprestaban también para atacar cuando los generales Marceliano Vélez y Julián Trujillo acordaron un armisticio.


### Combates de guante blanco

En Bogotá, que no era la cafrópolis que hoy es, la guerra tenía un tono muy distinto. Fue un combate entre hidalgos rolos, como lo relata Enrique de Narváez en su célebre obra *Los Mochuelos: recuerdos de 1876-1877*, vivamente recomendada por la Academia Militar Bravo Páez y por la Academia de Urbanidad Carreño.

Las acciones se iniciaron en el salón de billar del Gun Club un viernes decembrino, cuando un grupo de jóvenes socios liberales se acercó a ocupar una mesa que había reservado y encontró que jugaban en ella varios jóvenes socios conservadores. A los gritos de «¡Godos hijuemíchicas, respeten el turno!», los mozos liberales atacaron a sus camaradas con los tacos; aquellos ripostaron tirándoles las bolas, lo cual se consideró un gesto francamente inamistoso.

La junta directiva sancionó a ambos con expulsión por tres meses y suspensión del tuteo a los meseros, pero ya la situación era irreversible. Los socios liberales enviaron a los conservadores un papel en el que declaraban la guerra. Era una esquela escrita con vibrantes resonancias épicas, que a la letra decía:

*Queridos Pachito, Toño, Coque y demás:*
*Con su acción de la tarde del viernes pasado han quedado ustedes como unos guaches groseros y repelentes. Es la primera vez que alguien se pasa por la faja un turno de billar en el Gun, y esa vaina sí que no. Saldremos a defender nuestros derechos empuñando las armas. Nos proponemos atacarlos y darles en la jeta durante el día en la hacienda de Pachazo, de tío Chepe o donde los encontremos. Nos pedimos como uniforme el blazer azul con pantalón gris oscuro y corbata azul a rayas amarillas. ¡No permitiremos que unos atarvanes farolos como ustedes le falten al respeto al Gran Partido Liberal, carajo!*
*Cordialmente,*
*Pepe, Juaco, Piquis, Ricardo y el Chulo.*

*P.D. No se les olvide que mañana por la noche es el baile de las Pombo y pasado mañana los Urdaneta hacen su tradicional novena en Hatonuevo. Traigan aguardiente para unos piscolabis. Un abrazote.*

Según lo pactado, las gallardas batallas entre los gallardos mozos liberales, llamados *alcanfores*, y los gallardos mozos conservadores, bautizados *mochuelos*, se celebraban durante las gallardas mañanas sabaneras en gallardas haciendas de gallardas y latifundistas familias. Después iban a un baño turco, se duchaban y, por la noche, los enemigos diurnos se reunían a bailar el rigodó y el bambuco en las casas de sus novias. Estas eran encantadoras damitas de la alta sociedad que de día sufrían por sus amados y de noche escuchaban emocionadas el relato de las hazañas de la jornada, contadas por los propios protagonistas en feliz camaradería:

—Coque, mijo, estuve a punto de afrijolarte un tiro en la cabeza en la escaramuza de esta mañana, perdonáme...

—No te preocupés, Juaco, que en la batalla que estamos planeando para el jueves voy a encargarme personalmente de atravesarte de un lanzazo.

—¿Conque habrá batalla el jueves? ¡Me parece rico!

Los enemigos invitaban a tomar onces a los espías del bando contrario, secuestraban a sus comandantes sólo para echar con ellos partidas de póker y jugaban acertijos mientras se perseguían los unos a los otros. No era extraño que, clavado con un puñal en el cadáver de un sargento, uno de los *alcanfores* encontrase un mensaje del siguiente tenor escrito por un *mochuelo*.

En una comarca estamos
que tienen que adivinar:

es aquello que dejamos
después de un susto sin par.
Si no saben, los fregamos
pues los vamos a emboscar[1]

Las batallas entre *alcanfores* y *mochuelos* terminaron cuando se decretó el armisticio general. Entonces, los sobrevivientes, emperifollados en *foulards* rojos y azules y olorosos a lavanda Jean-Marie Farina, se dieron el abrazote que se tenían prometido, se reunieron en torno a un piquete de cuchuco con espinazo de marrano y se dedicaron a recordar a los muertos en combate, todos ellos piscos chirriadísimos y de lo más célebre, ala.

### Crónicas de famosos guerreros

Durante las guerras civiles se destacaron muchos generales por su capacidad de pelea casi mítica. **José María Obando,** enemigo jurado de Mosquera, recorrió todo el país repartiendo bala a nombre del partido liberal y murió a lanzazos, sorprendido por un soldado enemigo en las goteras de Bogotá, por culpa de la falta de baños públicos. **Benjamín Herrera** y **Pablo Emilio Bustamente** fueron otros dos héroes liberales que causaron destrozos en las filas enemigas y en las letras colombianas, pues inspiraron la famosa cuarteta siguiente:

De luto está la liberal bandera
porque se ha muerto el general Herrera.
Y, como si eso no fuera bastante,
se encuentra grave el general Bustamante.

1. Respuesta: El Charquito.

Herrera, gran aficionado al fútbol, fue uno de los primeros en prever la violencia que años más tarde iban a desatar los hinchas fanáticos en los estadios. En un vano intento por aplacar los ánimos belicosos de los aficionados, dejó para la posteridad una frase famosa que debería estar inscrita con letras de oro en el escudo de la División Mayor del Fútbol Colombiano: «La patria por encima de los partidos»

El general *Ricardo Gaitán Obeso*, copartidario de Herrera, era ducho en el manejo del machete. Alguna vez apostó a sus oficiales que era capaz de cortarse las uñas a machetazos con una venda sobre los ojos. Desde entonces lo apodaron *El Mocho*. Cuando sus jefes firmaron la paz, el valeroso y díscolo Gaitán Obeso dijo con altanería:

—Yo no sé conjugar el verbo rendirse.

Y siguió combatiendo. Fue detenido y, una vez preso en Panamá, el gobierno de Rafael Núñez demostró que sabía conjugar el verbo envenenar. La autopsia de Gaitán reveló que los carceleros le habían suministrado una dosis de digitalina capaz de matar un mamut y medio.

El general *Sergio Camargo*, no menos liberal que los anteriores, luchó toda su vida contra dos enemigos: los conservadores y la ciclotimia. Los conservadores eran enemigos bravíos, pero la ciclotimia, que es la súbita y radical modificación del estado de ánimo, lo era más. El pobre general cambiaba de estado anímico como cambiarse de calzoncillos. Y aunque no es mucha la ropa interior que muda un militar en campaña, Camargo era capaz de saltar del triunfalismo absoluto a la melancolía más conmovedora en la misma batalla. Como muestra, dos frases suyas pronunciadas con horas de diferencia en la batalla fluvial de La Humareda, el 17 de junio de 1885.

*1 y 16 p.m.* (Desde el puente de mando de su buque, al ver cómo el enemigo acribillaba desde la orilla a sus soldados): «¡Un caballo, yo los cojo!».

*5 y 25* p.m. (Al ver que había ganado la batalla por la mínima diferencia, pues a él le quedaban cuatro soldados vivos y a los enemigos tan sólo tres): «Este es un triunfo pírrico... Soy un hombre funesto para el partido liberal. Ya no necesito el caballo».

Sus jefes estuvieron de acuerdo. Lo felicitaron por la victoria, pero, calculando que si Camargo volvía a ganar una sola batalla más con la misma estrategia no iba a quedar un liberal vivo en todo el país, prefirieron condecorarlo y jubilarlo para siempre.

A pesar de la fiereza de los generales atrás citados, y de otros muchos cuyos nombres permanecen acuartelados en el frágil campamento de la memoria del autor, el mayor devastador de ejércitos no fue ninguno de ellos, sino el general Viruela. En efecto, este temible mal, importado de España cuatro siglos antes y aclimatado en el trópico, produjo más muertos que la metralla, la bayoneta o el machete de Gaitán Obeso. La población de Colombia, que en 1825 era de un poco más de dos millones y medio de habitantes, en 1843 había descendido a 1.931.684. La guerra se había cargado a unos 250.000 ciudadanos, y la viruela otro tanto.

Años después se descubrió la vacuna contra la viruela, y ya esta enfermedad desapareció de la faz del planeta. Contra la guerra, en cambio, no ha aparecido vacuna que sirva. Es hora de que el doctor Manuel Elkin Patarroyo se ocupe del asunto.

# MEMORIAS DE GUERRA DEL GENERAL
# INCANDESCENTE RAMOS
### Anexito

*El general Incandescente Ramos peleó en la Gue-*
*rra de los Mil Días al lado de los míticos generales*
*Uribe Uribe, Herrera y Bustamante. Fue secretario*
*suyo un coronel anónimo, que libró sus mayores*
*combates contra la ortografía y la gramática. Gra-*
*cias a este coronel han quedado para la posteridad*
*unas memorias rigurosamente inéditas, de las que*
*publicamos aquí varios apartes de especial interés,*
*por cortesía de los descendientes no menos anóni-*
*mos del heroico coronel-secretario.*

## Julio 9

Después de una larga caminata por la selva hemos alcanzado la aldea de El Chaflán, donde al cabo de nueve
días podemos por fin descansar a salvo de la persecución
de las tropas del gobierno. Espada en mano, enfundado
en su impecable uniforme, con la barba a la cintura y
derrochando su proverbial valor, el general Incandescente
Ramos nos guió por la selva mientras recitaba trozos se-

lectos del poeta latino Ovidio. Muchos soldados desertaron debido a esta última causa. El miembro más agotado de la caravana es *Fraternidad*, la burra que carga en sus lomos mi escritorio de secretario general de los ejércitos liberales.

No bien llegamos a la aldea, el general Ramos se hizo preparar un baño de agua caliente y azahar para embellecerse la luenga barba, que acusaba los rigores de la travesía. Anidados en ella aparecieron trozos de bejuco, el reloj de bolsillo del general Bernardino Lombana, un quiche, cucarrones de los que llaman *cuernuetoro,* un nido de golondrinas y dos huevos que, en mi humilde opinión, deben ser los del general.

*Julio 10*

Ayer dedicamos toda la tarde a labores de higiene. Después de limpiar la barba, el general Incandescente Ramos pulió durante tres horas, con particular minuciosidad, sus botas de campaña. Cuando le pregunté por qué lo hacía, me explicó: «Estas botas, coronel, son francesas; las alquilé para la guerra en el almacén de los señores Ricaurte, de Bogotá, y nada me molestaría más que devolverlas sucias o deterioradas. Nada hay peor que un militar con la apariencia física descuidada». Después me contó que esas mismas prendas las habían alquilado, en otras guerras, los generales Obando, Mosquera y José Hilario López. «Estas botas encierran mucha historia, coronel», sentenció el general. Admirado, manifesté mi acuerdo con él, pero debo reconocer que la historia ha adquirido un olor ácido y penetrante. Ha de ser por eso que otros soldados se pasaron hoy al enemigo.

Por órdenes del general Ramos, los soldados restantes se dedicaron a limpiar sus armas, unos viejos remington rand y unos mickey máuseres que andan ya medio torcidos de tanto disparar. Yo, mientras tanto, limpiaba a *Frater-*

*nidad* e instalaba mi escritorio en el altozano de la iglesia. Preparo pluma y papeles para transcribir la proclama de saludo que el general Ramos piensa dictar mañana. He encontrado en el cajón la cosedora con empuñadura de nácar que fabricó con su antigua pistola el general Capitolino Obando, pero noto que desaparecieron varios clips de colores que me había regalado en Chinácota el general Lucas Caballero, secretario del general Benjamín Herrera.

*Julio 11*

Transcribo en seguida la proclama que fue leída en la fecha ante los campesinos de la aldea de El Chaflán:

«Ciudadanos:

«Hemos llegado hasta vosotros tras una ordalía silvícola digna de un capítulo del divino Dante a la que nos ha conducido el enemigo. Pero no estamos vencidos. Por el contrario, nos sentimos más vigorosos y fuertes que nunca, pues nos inflama el fanal de la revolución: él guiará nuestros pasos como Artemisa, la brillante, guió los de su hermano Febo, hasta alcanzar la muerte de este Pitón que representa el gobierno conservador. Sólo nos espera la gloria. Como dijo de Tarquino el gran Cerón: *"Alque ille Tarquinius quem majores nostri non tulerunt, non crudelis, nos impius, sed superbus habilus est dictus"*.

«He querido dirigiros el verbo inflamado imitando a Tasbíbulo, el libertador de Esparta, cuya primera medida de victoria al tomar el fuerte de File, en Beocia, consistió en llamar a Lisia, el anónimo orador, pues se le antojaba que, antes que restablecer a los heridos, era menester restablecer la elocuencia. De ella me valgo para pediros, antes de que sea tarde, que os suméis a estas nuevas centurias que marcharán en pos del más preciado vellocino de oro: la libertad, la igualdad, la fraternidad.

*«Fe de erratas*: Donde dice *Cerón*, debe decir *Cicerón*. Donde dice *anónimo* debe decir *epónimo».

Las bellas palabras del general Ramos resultaron inútiles. Los campesinos reaccionaron con sorpresa y silenciosa estupefacción ante la proclama. Pero lo peor no fue eso, sino que, al oír mentar su nombre, *Fraternidad* respondió con un formidable rebuzno que despojó de toda majestad al histórico momento y de toda eficacia a la puntillosa fe de erratas. Ningún aldeano se sumó a la causa, y el general dio orden de seguir inmediatamente la marcha.

*Julio 19*

Previo un largo rodeo que nos permitió cerciorarnos de que no había tropas enemigas en el lugar, descendimos anoche a la villa de El Socorro. Fatigados, como estábamos, acudimos a la fonda de la señora Domitila y nos llevamos tremenda sorpresa: allí estaban los soldados del general conservador Uldarico Arrázola bebiendo chicha y escuchando bambucos en compañía de complacientes señoritas. Sólo la intervención de los dos grandes caudillos, el general Ramos y el general Arrázola, impidió que el desconcertante encuentro terminara en una batalla de chorotes y jarras.

—¡Un momento! —interrumpió gallardamente el general Arrázola—: ¡es indigno de soldados del gobierno liarse a puñetazos como si esto fuera una riña de cantina!

—¡Pues si es indigno de soldados del gobierno, mucho más lo ha de ser de soldados de la revolución! —indicó el general Incandescente Ramos.

—Estas luchas deben definirse como se dirimen las diferencias entre caballeros —dijo el general Arrázola.

—De acuerdo —respondió el general Ramos—. Así como la guerra de Roma contra Alba se definió, según Tulio Ostilio, con la lucha de tres campeones por bando, propongo que seamos el general Arrázola y yo quienes, en un duelo personal, decidamos la suerte de esta batalla.

La tropa y las mujeres guardaban absoluto silencio, aunque algunos soldados se aprovechaban del solemne momento para meterles mano a las muchachas.

El general Arrázola se acercó entonces al general Ramos y, exclamando «¡Viva el partido conservador!», le dio un cordial abrazo a su contendor, que respondió éste con un estrujón cariñoso y un viva al gran partido liberal.

Los soldados de ambos bandos aplaudieron, muchos de ellos con una sola mano, pues la otra la tenían ocupada con la chicha o la muchacha.

Entonces el general Incandescente Ramos fijó las reglas del duelo:

—Nos batiremos a dominó, y el que pierda paga la cuenta.

## Julio 20

El general Incandescente Ramos tenía fama de ser uno de los mejores jugadores de dominó del país, pero anoche la fortuna no lo acompañó. El atribuye su mala suerte al estado de las fichas, a la fatiga del viaje y a los gritos ansiosos de los soldados y los gemidos de las muchachas, que no le permitieron concentrarse. Yo, modestamente, pienso que el error fue haber sacrificado un doble seis ante un seis abierto. Pero me limité a decirle que eran «cosas del dominó».

El caso es que tuvimos que huír al amparo de las sombras de la noche porque carecíamos de fondos de guerra para pagar la cuenta. No éramos muchos. Buena parte de los soldados se pasaron al bando contrario para poder bailar con las chicas. Otros lo hicieron cuando el general Ramos empezó a declamar en voz alta trozos selectos de las odas de Horacio.

—¡Qué vaina! —suspiró el general—. Aquí estamos, obligados a escapar como viles ladrones justamente cuando se celebra un aniversario más del grito de independencia.

—No se preocupe —le dije—. El reloj del general Bernardino Lombana muestra que ya son las dos de la mañana del 21.

—Menos mal —comentó con patriótico alivio el general Ramos.

Tengo la corazonada de que muy pronto volveremos a vernos las caras con el enemigo, pues con seguridad la señora Venancia le pasará al general Arrázola la factura. Sólo que esta vez ya no nos encontraremos en el cordial ambiente de una fonda sino en la atmósfera hostil del campo de batalla.

*Julio 22*

No me equivocaba. Tan pronto como desenguayabaron, el general Arrázola y sus hombres se enteraron de que habíamos puesto conejo a la ventera y salieron en pos de nosotros. Hasta ahora hemos logrado burlarlos, pero supimos que se han embarcado en la cañonera *Gladys* para acortar camino y sorprendernos. Si llegan a encontrar un río para lanzar la cañonera, que por lo pronto marcha en tres carretas tiradas por bueyes, estamos perdidos.

*Julio 22*

Pésimas noticias. Hemos tenido la más sensible baja posible. *Fraternidad* ha muerto. Ocurrió por un desgraciado accidente. La burra llevaba a lomos el almofrej, y en el almofrej[1] iba el escritorio, y dentro del escritorio los útiles

---

1. El almofrej, funda para camastros y equipajes, es la tercera de las cinco palabras castellanas terminadas en jota. ¿Conoce las otras dos?

de secretaría; de súbito, al dar la burra un mal paso, se disparó la cosedora de empuñadura de marfil que fabricó con su antigua pistola el general Capitolino Obando y el tiro mató a la bestia.

Ahora el que carga el escritorio soy yo. Aspiro a que esta cruel guerra termine pronto.

*Julio 23*

El enemigo ronda, pero el general Incandescente Ramos no ha querido hacerle frente. Dice que está buscando un lugar con nombre atractivo para dar la batalla. «Estos combates históricos no pueden librarse en cualquier sitio —me advierte el general—. La estética también cuenta. Si las Termópilas se hubieran llamado El Nuche, nadie habría escrito poemas sobre ellas. Fíjese lo mal que nos fue en La Garrapata». Ha descartado por esta razón varios recodos que nos eran ampliamente favorables desde el punto de vista estratégico pero que se llaman El Relái, Harry's Bar y Nalgavieja. Enojados, varios soldados se marcharon para unirse a las fuerzas del general Arrázola.

Al parecer, el general Ramos se propone llegar en la noche al Pozoazul, un nombre que, aunque nos coloca a merced del enemigo, sí le parece bonito para librar la batalla final.

*Julio 25*

Ayer se libró la batalla final, y perdimos. Fallecida la burra, en el ejército revolucionario no quedábamos sino el general Ramos y yo. A pesar de que él se batió como un tigre mientras yo tomaba notas en el escritorio, fuimos capturados 17 segundos después de que empezaron las acciones. El general Arrázola ordenó que el general Ramos fuera fusilado contra una ceiba. Es un procedimiento bastante bárbaro, que Arrázola justificó por el alto monto de

la cuenta que debió cancelar en la taberna de la señora Venancia. Antes de ser pasado por las armas, el general Incandescente Ramos obtuvo una última gracia: leer un manifiesto a sus verdugos. «Si Arrázola accede, estoy salvado —me comentó en voz baja—. Estoy planeando una estratagema genial».

El general Arrázola accedió, pero sólo a cambio de las botas. Al regresar a Bogotá, piensa proponer un *leasing* de calzado a los señores Ricaurte. El general Ramos pasó toda la tarde dictándome la proclama salvadora, que leyó con voz de trueno frente al pelotón de fusilamiento. Entendí que, hábilmente, se había propuesto conmover a los soldados con su famosa oratoria para que, en vez de disparar sobre él, lo hicieran sobre el general enemigo.

He aquí su texto:

## MANIFIESTO
### del general Incandescente Ramos a la Nación

«¡Soldados!

«Heme aquí, tras una larga carrera en aras de la patria, frente a lo que Quevedo llamaba "el blanco día". Coincide este con la efeméride natal del bienaventurado liberador de nuestras cadenas como Nación idiosincrática. Bien haríais vosotros, bizarros émulos tropicales de las huestes de Alejandro Magno, en tener en cuenta esta circunstancia para que, obrando en consecuencia, dirijáis incontinenti vuestros venablos de Tánatos, pero no contra el Ulises que ha soñado con llegar a una Itaca de sueños libertarios, sino contra quien, a cambio de una vil soldada, apuntala la mordaza del tirano.

«Este os invita a cometer el acto fratricida cainita que mancha la conciencia; yo os invito a resistir, como la ciudad de Politdea bajo el sitio ateniense, en prez de la justicia.

«Dentro de breves segundos recaerá sobre vuestro don de discernimiento la decisión nefanda: pensad quién ha de ser el que debe subir a la barca de Caronte, si el inocente que os habla como lo hicieron las sirenas con Odiseo, o el vicario uniformado de las Parcas. Y recordad las sabias palabras de Virgilio: *"Nos patriae fines et dulcial linquui-mus arva, nos patriam fugimos"*.

«Y, ahora sí, ¡haced fuego según vuestras conciencias!»

•

Los soldados, que no habían entendido una sola palabra de la proclama, dispararon sobre el general Incandescente Ramos.

Así murió un grande hombre de Colombia.

## SOBRE MI CABALLO, YO

La más curiosa de las dictaduras que ha padecido el país ha sido la del general José María Melo. Su curiosidad radicaba, primero, en que todos sabían que era una dictadura, no como muchas que se esmeran en ocultarlo; y, segundo, en que el general Melo andaba siempre a caballo, cosa que le agregaba un ingrediente cinematográfico al asunto.

El gobierno de Melo fue el primero que —ciento cuarenta años antes que el de César Gaviria— creyó en las llamadas *fuerzas del mercado* y se apoyó en ellas. En efecto, su sostén eran las marchantas, los paperos, las guisanderas de la plaza de Los Mártires, las vendedoras de tamales, los columnistas de humor y, sobre todo, los artesanos.

El valeroso militar chaparraluno, nacido al filo de 1800 en una pesebrera, se había criado en una caballeriza, había combatido en calidad de jinete durante la guerra de Independencia, fue desterrado a las Antillas sin que se le permitiera descabalgar y residió en Bremen durante varios años en compañía de su caballo. Habitaba una casa de un solo piso porque el caballo, bautizado Babieca II en honor de don Quijote de la Mancha[1], se negaba a subir escaleras. En su juventud, Melo cultivó una hermosa melena que recogía en forma de cola de caballo, y usó hasta su muerte siempre ropa interior Jockey. Los domingos acudía a caballo a las carreras de caballos y solía desayunar un bisté con dos huevos fritos. Para los bremenses, bremenitas o bremeños se convirtió en pasatiempo cotidiano ver al general Melo cuando cabalgaba a comprar el pan, cambiar plata o rezar el rosario. Los dueños de supermercados, en cambio, sufrían con ese centauro mestizo que escogía sólo los artículos ubicados en los estantes superiores, mientras su jaca destrozaba a mordiscos las cajas de Corn Flakes y salpicaba de cagajón rebelde los pasillos de la tienda.

Pasado un tiempo, Melo retornó al galope a su Tolima natal y se dedicó al comercio desde su galápago, lo cual dificultaba mucho la atención al público. Por eso le tocó vincularse a la política, carrera en la que obtuvo resonantes triunfos: primero fue placé y más tarde ganador. En 1850, finalmente, fue elegido jefe político de Ibagué su caballo.

Cuatro años más tarde, cuando se produjo el golpe de Estado, Melo ocupaba el cargo de general de división, y era presidente de la república don José María Obando. Babieca II había muerto, pero su amo dispuso, en agradecimiento por los servicios hípicos prestados, que el animal fuese disecado en actitud de paso castellano. Así, erguido a fuerza de yeso y paja, y enjaezado con todos

---

1. El general Melo murió creyendo que Babieca era el caballo de don Quijote. También pensaba que Rocinante era el perro de Vasco Núñez de Balboa, que Platero no era un burro sino un pato, que Donald era el ratón de Walt Disney y que Numa era el nombre con el que Tarzán designaba al elefante.

sus aperos, continuó presente el bulto de Babieca en las cuadras de Melo.

Faltando el difunto pechichón, el poderoso militar se había hecho a otros animales. Según dice José María Cordovez Moure en sus *Reminiscencias de Santafé de Bogotá*, «el general Melo tenía dos magníficos caballos: uno zaino retinto y otro bayo overo, y una preciosa vaca que tenía la rareza de piel sin adherencias, que le arrancaba desde el cuello hasta la ubre». No consta que hubiera cabalgado nunca en la vaca[1].

Se dice que el origen del golpe de Melo fue un juicio que se adelantaba contra él por haber dado muerte a golpes de sable a un cabo de apellido Quirós. No es verdad. Se trata de una calumnia colosal, que ha hecho tránsito de manera infame a la historia patria. Melo sí mató a Quirós, que lo atacó a lanzazos, borracho, una noche de 1853 en el cuartel de la plaza de San Francisco, cuando el general se retiraba a descansar con su caballo. Pero no fue de un atroz sablazo sino de una certera estocada de espadín que hundió hasta el cabo en todo lo alto del cabo y que, al cabo, hizo doblar al cabo sin puntilla. Lo dice Cordovez Moure: «Melo sacó la espada que llevaba al cinto y su defensa causó una herida de la cual murió Quirós». La justicia, en vez de admirarse de que un general con vocación de picador actuara con la destreza de un César Rincón, y recompensarlo por lo menos con oreja, optó por seguirle juicio criminal.

---

1. A los lectores jóvenes les extrañarán términos como los de *zaino retinto* y *bayo overo*, para no hablar de esa insólita vaca que era una sola ubre larga desde el cuello hasta la cola. A mí también. Para que lo entiendan mejor, diríamos que andar en un zaino retinto hace siglo y medio era como poseer ahora un BMW-850, y que un bayo overo equivalía a un Mercedes Benz-600 SEL. La vaca sin adherencias podría compararse quizás a Rocío Jurado.

La verdad es que la causa del cuartelazo de 1854 fue, más que ese incidente taurino-castrense, el enfrentamiento entre *ruanetas* y *cachacos*. Los primeros eran la gente del pueblo, los trabajadores pobres, la gleba, los populares. Sus líderes fueron un tal Ambrosio López, carpintero o algo así, y el herrero Miguel León. No nos extrañaría que hubiera emboladores y hasta periodistas entre ellos. Los segundos eran los muchachos bien, los doctores y banqueros, los ejecutivos de publicidad y los agentes de bolsa, los políticos en agraz y los consultores de mercadeo; en fin, la «gente decente» de la capital, según vocablo empleado por varios historiadores.

Desde unos meses antes estaba enrarecido el ambiente en la ciudad. Los artesanos andaban energúmenos porque la constitución aprobada en 1853 había autorizado la libre importación de textiles y otros productos. Así, las chivas, hamacas, mochilas, llaveros con la inscripción *¿Dónde están las putas llaves?*, pelucas del *Pibe* Valderrama y molas de Tibabuyes que fabricaban nuestros talleres de artesanías encontraban competencia barata y desleal en toda clase de porquerías de plástico producidas en Hong Kong y Corea. Los radicales, entre los cuales había muchos importadores y vendedores de telas sintéticas y juguetería importada, apoyaban la apertura. Los artesanos se oponían. El ejército estaba con los artesanos.

Con frecuencia se armaban peleas entre los de casaca y los de ruana. Estos arrojaban desde lejos piedras traicioneras contra los muchachos bien, y los muchachos bien se veían obligados a disparar sus nobles armas de fuego contra la guacherna. No era raro que, como resultado de las refriegas, cuatro o cinco jóvenes decentes resultaran injustamente lesionados con contusiones en el rostro o el cuerpo, que les dejaban feos hematomas y heridas dolorosas y los incapacitaban para trabajar o estudiar durante más de un día. En cambio, ruanetas no morían más de dos o tres por riña. Máximo, cuatro.

Los artesanos tenían el apoyo de fuerzas subversivas, agitadores profesionales, el comunismo internacional y agentes de ideologías extranjeras. Entre ellos estaban los masones, individuos sin Dios —y, además, ateos— que se reunían en secreto a hacer cosas que no podemos mencionar aquí porque este libro lo leen los niños. Tan viciosos serían los tales masones, que su jerarquía se medía por grados, como el aguardiente. El general Melo, por ejemplo, era grado 32, pero no se sabe si centígrados o Farenheit. La masonería, que fue muy activa e importante en tiempos de la Independencia y la República Liberal (1930-1946), se ha convertido con el tiempo en una inofensiva entidad cívica que compite con el Club Rotario, Los Pisingos y la Cámara Junior. Yo diría, incluso, que clasifica como ONG[1]. Ya tiene pocos secretos y el Muy Ilustre y Querido Hermano Principal aparece Muy Retratado y Muy Citado en las páginas sociales. Pero aún conserva unos extraños signos de puntuación (:., &, %, £) cuando publica avisos en la prensa.

### ¡Ay, te va a picá!

También contaban los artesanos con el soporte de *El Alacrán*, publicación satírica de Joaquín Pablo Posada y Germán Gutiérrez de Piñeres, dos sujetos perniciosos y foráneos —cartageneros, por más veras— que no vacilaban en someter al escarnio de sus epigramas y versos negativistas a las gentes de bien. Parece que eran comunistas

---

1. Organización No Gubernamental. No confundir con el presidente de Tanzania.

pagados por el oro de Moscú. Posada era muy ingenioso, pero no todos sus poemas merecen ser recordados. He aquí, por ejemplo, el que formaba parte de una serenata que él y sus amigos dieron al déspota:

> Aduérmete a la sombra
> de tus laureles,
> que por ti están velando
> soldados fieles:
> en su desvelo
> ellos cantan, y quieren
> que duermas, Melo.

Espantoso.

Estos eran los bandos y tensiones enfrentados cuando, a la madrugada del lunes 17 de abril de 1854, una comisión enviada por Melo visitó a Obando y le ofreció que se proclamara dictador. Obando dudó. Dijo en un principio que sí, después que tal vez y al final acabó negándose. Algunos creen que en esta vacilante conducta tuvo mucho que ver el hecho de que su esposa se llamara Timotea. El caso es que Melo resolvió salvar la patria y, a lomos del caballo zaino, asumió la presidencia en medio de los gritos entusiastas de los artesanos, las descargas marciales de los soldados y los relinchos jubilosos de las yeguas de toda la república.

El golpe de Estado conjuró a todos los demás generales, jefes políticos y *gente decente* en contra de Melo y sus caballos. Los enemigos se enfrentan. Estallan combates, batallas y escaramuzas. Caballero en un alazán arisco, Melo consigue al principio varias victorias en los pueblos vecinos a la capital. Después, encaramado en el bayo, logra expulsar a los enemigos de la Sabana de Bogotá. Pero, cuando se pensaba que los perseguiría por el valle del Magdalena hasta destruirlos, comete uno de los más graves y más comentados errores estratégicos que recuerde la historia militar de Colombia: se queda inmóvil. Para ser exactos, el caudillo permaneció once días y cuatro horas en el extremo occidental de la Sabana bajo un árbol enorme sin que él ni su cabalgadura dieran un solo paso adelante en pos de los que huían. A su espalda se encontraban los veinte mil soldados del ejército nacional dispuestos a seguirlos hasta donde ellos los guiaran. Pero ni Melo ni el animal se movieron.

Esto dio tiempo a los rivales de reagruparse, armarse de nuevo y atacar la capital por los cuatro flancos. El 4 de diciembre, apenas siete meses y medio después de que Melo tomara el poder, el dictador y sus tropas se rindieron ante el llamado Ejército Restaurador. Cuando uno de sus generales le reprochó la pasividad que había conducido al desastre, Melo espoleó inútilmente su cabalgadura, la observó con detenimiento y exclamó atribulado:

—¡Con razón no se movía! ¡Estoy montado en Babieca!

Fue así como descubrió que, a fuerza de cambiar monturas, había terminado por subir, sin percatarse, en el caballo disecado. A diferencia de El Cid, que ganaba batallas después de muerto, Babieca había perdido una guerra desde el paralizado mundo de la taxidermia.

Melo sufrió pena de destierro hípico. Sobre una potra zaina, la flor de la llanura, llegó a Centroamérica, pasó a México y allí montó el caballo blanco que salió una noche de Guadalajara. A paso más lento llegó hasta Escuinapan y por Culiatán ya se andaba quedando; cuentan que en Los Mochis ya se iba cayendo, que llevaba todo el hocico sangrando.

Pero lo miraron pasar por Sonora, y el valle del Yaqui le dio su ternura; dicen que cojeaba de la pata izquierda, y a pesar de todo siguió su aventura. En 1860 logró llegar

por fin a Chiapas y ofreció sus servicios como comandante de caballería al gobernador del Estado, que a la sazón se enfrentaba a tropas guatemaltecas. El gobernador enroló al general y le extendió un contrato de asesoría turística al caballo blanco. El 1º de junio de 1860 los dos —amo y bestia— fueron sorprendidos por el enemigo, hechos prisioneros y fusilados en la hacienda Juancaná. Melo sobrevivió a la descarga, pero el caballo le cayó encima.

Están sepultados en el hipódromo municipal. No hay en Colombia una sola herradura de bronce que los recuerde.

## «MASCACHOCHAS»

Antes que nada es preciso aclarar que al general Tomás Cipriano de Mosquera sí lo apodaban *Mascachochas*, pero por otras razones. Se llama *chocho* o *chocha*, según el diccionario, al altramuz, planta leguminosa cuyo fruto es «un grano menudo y achatado». De modo que el mote se lo adjudicaron a Mosquera porque parecía que estuviese a toda hora masticando granos menudos y achatados. En nuestro tiempo posiblemente se le había apodado *Mascachicles*.

Ahora bien: ¿por qué llamaban así a tan marcial y valiente general? La explicación es sencilla desde el punto de vista de la cirugía maxilofacial. Siendo sardino, Mosquera había formado parte de los ejércitos libertadores. Era precozmente arrojado y temerario. Dicen que no le tenía miedo a nada. A los quince años, en 1813, fue cadete de las tropas de Antonio Nariño y más tarde ayudante de campo de Simón Bolívar. Durante la batalla de Barbacoas contra el indio realista Agustín Agualongo, el joven soldado popayanejo recibió un balazo en plena cara que le destrozó la mandíbula. Fue internado en una precaria clínica de campaña, donde le aplicaron los primeros auxilios, que consistían tan sólo en echarle agüita en la herida, decirle que fuera macho y prometerle la Cruz de Boyacá.

Al cabo de un tiempo la situación era desesperada. Mosquera llevaba dos meses sin poder tragar alimento: la comida caía al suelo cada vez que trataba de masticarla, ya que sólo contaba con el maxilar superior. Un enfermero sugirió alimentarlo a través de un enema de sancocho de bimbo[1], pero Mosquera se negó: no sólo le parecía indecoroso que un soldado de la república se nutriera de tan equívoca manera, sino que detestaba el sabor agridulce del bimbo.

Fue entonces cuando alguien propuso la solución que conduciría al famoso apodo. Acudieron al herrero de Barbacoas (Nariño) y le pidieron que fabricara como pudiera un pedazo de quijada para Mosquera. El problema es que el herrero sólo tenía moldes para carraca de caballo, es decir, de talla *extralarge*, y la cumbamba de Mosquera era *small*. De este modo, cuando le soldaron el maxilar inferior al futuro presidente de la república, le quedó bailando respecto al trozo de arriba. La burda operación se practicó a palo seco y encima del boj[2] del zapatero del pueblo, porque dicen que Mosquera no le tenía miedo a nada.

A consecuencia de esta cirugía artesanal la mandíbula daba la impresión permanente de estar masticando granos menudos y achatados: mascachocheando.

---

1. En el Cauca llaman *bimbo* al pavo y *carantanta* a la tortilla de maíz. Curioso, ¿no?
2. Cuarta palabra terminada en jota. Falta una: ¿la sabe?

Nada de esto fue obstáculo en la vida del prócer. Es verdad que desde aquella dieta obligatoria quedó con una constitución enjuta y huesuda. Pero ni esta, ni la quijada de caballo, impidieron que fuera gran militar, poderoso caudillo político y varón apetecible. La prueba de esto último es que, habiendo enviudado, se casó a los 73 años por segunda vez con una señorita 44 años más joven que él. El hecho de que fuera su cuñada quiere decir que Mosquera sí le tenía miedo a algo: a estrenar suegra a esas horas de la vida.

Los retratos de *Mascachochas* lo muestran como un militar que se hubiera vestido de general para ir a una fiesta de disfraz: uniforme constelado de borlas, condecoraciones, botones y estrellas; charreteras hasta en los codos; espada al cinto; faja tricolor; patillas-bigotes; sombrero con penacho; botas napoleónicas. Lo único malo —y este es un secreto que se supo cuando los conspiradores del 23 de mayo de 1867 llegaron a ponerlo preso hasta el borde del lecho presidencial— es que dormía con un gorro de florecitas para que se le enchutara el pelo. Por ello, y por un tratado secreto con el Perú, fue suspendido en funciones por el Congreso, multado con doce pesos y condenado a la pena de destierro, sin derecho a llevarse el gorrito.

Según el historiador Luis Alfonso Plazas Vega, *Mascachochas* es «tal vez la persona más influyente y más controvertida en la historia de nuestra patria desde su independencia y el único colombiano que ostenta el título de Gran General, otorgado por el Congreso». Su fama traspasó las fronteras. El gobierno de Estados Unidos, que admiró mucho a Mosquera, le hizo el honor de bautizar con su apodo uno de sus más prósperos estados federales: Massachusetts. Fue tres veces presidente, cinco o seis parlamentario, veinte veces capitán de guerras civiles, varias otras gobernador del Cauca y en sus ratos libres escribía tratados de geografía mezclados con nociones de teología, frases de griego, apuntes de química y retazos de jurisprudencia. Némesis suyo fue el general José María Obando, de quien la leyenda cuenta que era su hermano, o su medio hermano, o su hermano natural, o su tío, o no se sabe al fin qué. La sociedad de Popayán es muy reservada en estas materias. De la mamá del general Obando también cuentan cosas terribles, pero no es este el lugar para recogerlas.

**Querido Santo Padre**

El caso es que Mosquera tiene muchos puntos a favor y en contra. Entre los primeros está el récord de brevedad en un discurso de posesión. Cuando fue elegido por primera vez, en 1845, leyó un texto de sólo 72 palabras. Podría pensarse que su parquedad oratoria era culpa de la cumbamba bailarina. Pues no, porque en otros momentos de la vida nacional Mosquera se revela, en cambio, como un pródigo dicharachero. Hay párrafos suyos que constituyen un anticipo de Cantinflas. Vean, por ejemplo, este que le escribe a don Rufino Cuervo en 1847:

*En cuanto a lo que se dice que soy antijesuítico, pues una cosa es decir que no soy jesuita o ser antijesuita, porque claramente dije que no los perseguiría, ni lo permitiría, porque era necesario ser tolerante: mis hechos decidirán.*

Y sus hechos decidieron que no era antijesuítico, ni jesuita o antijesuita, sino decididamente mentiroso. Porque no sólo persiguió a los jesuitas, sino que los expulsó del país durante su segundo gobierno, en 1861. Además ordenó que sus bienes fueran ocupados y dictó el decreto de desamortización de bienes de manos muertas, que, en síntesis, significa: fuera curas, vengan a nosotros sus propiedades. Como el arzobispo Antonio Herrán protestara, lo encarceló. Y, por si acaso había algún monje descontento con la medida, dos días después dispuso que se extinguieran «todos los conventos, monasterios y casas de religiosos de uno y otro sexo». Y de los dos sexos también.

En realidad, fueron históricas las peloteras de Mosquera con la Iglesia, a pesar de que su hermano llegó a ser un poderoso arzobispo. Uno de sus pasatiempos era enviarle cartas al Santo Padre. En una de ellas, escrita en Facatativá, lo cual ya constituye una descortesía, le informa sobre «el estado en que se encuentra la Iglesia colombiana». El balance de ejemplos lamentables incluye lo siguiente: un obispo que combatió lanza en mano contra el gobierno; un padre que fue ordenado con sólo tres meses de estudio; y, en general, el afán de lucro que anima a la carrera eclesiástica, detentada «por muchos individuos sin saber siquiera latín, de modo que ejercen el ministerio sacerdotal sin entender la sagrada escritura ni las oraciones que dicen en su misa». Preocupa mucho a Mosquera, según manifiesta al Papa, que «un número crecido de curas vive amancebado escandalosamente, por lo cual no pueden predicar la moral» y se destinan la limosna «a sus familias y no al culto». Al final le pide explicaciones filiales por haberlo calificado de «perturbador del orden» en una anterior homilía.

Pío IX no se dejó impresionar por los argumentos, y ordenó la excomunión *ipso facto* de Mosquera[1]. Al comunicársele la decisión del Vaticano, el general juró venganza: colocó los cañones del ejército nacional en un potrero de la Sabana de Bogotá y, apuntando hacia Roma, procedió a fusilar al Papa desde allí. Su Santidad resultó ileso.

---

1. Muchos curas no entendieron lo de *ipso facto*, porque era latín.

Las peleas de los liberales con la Iglesia fueron frecuentes en el siglo XIX, como se explica en otro lugar de este tratado. Pero sus consecuencias no se prolongaban por mucho tiempo. Cuando subía un gobierno conservador, regresaban los jesuitas, el Estado devolvía los bienes a los curas, los conventos se abrían de nuevo, los sacerdotes tornaban a caminar otra vez con paso ceremonioso por calles y salones, y la Iglesia recuperaba su poder sobre las instituciones civiles.

La prueba es que en 1891, apenas treinta años después de la gran garrotera con la Iglesia que hemos descrito, el Ilustrísimo Señor Arzobispo recibía el honor de tener el número 001 en la primera instalación telefónica de Bogotá[1].

## Al paredón

Mosquera se caracterizó, entre otras cosas, por ser un mandatario *fusilánime*. En efecto, uno de sus pasatiempos era el de mandar fusilar enemigos, orden que a veces se cumplía y a veces echaba atrás. Sus detractores dicen que ello se debe al carácter megalómano y sanguinario que prevalecía en su personalidad. Sus amigos afirman que se trataba, como muchos de los que han puesto en peligro la vida de Colombia, de un problema puramente gramatical. El general entendía que el poder *ejecutivo* se había hecho para ejecutar, y por eso ejecutaba a sus contendores.

---

1. El 002 le fue otorgado a una empresa de seguros del Grupo Santo Domingo y el 003 al Inspector General del Ejército. El Palacio Presidencial tuvo que contentarse con el 51, y los ministerios con números telefónicos que iban del 24 al 104. El poeta José Asunción Silva consiguió el 375 y el noviciado de la Compañía de Jesús el 123. Esto sugiere ya un orden inquietante de intereses y prioridades. Era entonces presidente don Carlos Holguín, conservador.

Al mismo tiempo podía ser, si se le daba la gana, muy simpático y muy chévere. Se cuenta que en julio de 1845, a sabiendas de que muchos estudiantes lo consideraban un militar peligroso, promovió unas fiestas populares en la Plaza de Bolívar, y cuando estuvieron allí reunidos los jóvenes, se apareció con botella de champaña en mano a beber con ellos. Terminó chispón, pidiendo que lo llamaran *Mascachochitas*, cantando en coro «Noche de ronda» y abrazado a los que antes hablaban mal de él.

Volviendo a los fusilamientos, lo curioso es que una de las mayores honras del partido liberal era la de haber abolido en 1849 la pena de muerte. Después de ello, sin embargo, se siguió aplicando de vez en cuando con diversas disculpas. Se supone que en 1859 fueron pasados por las armas los últimos reos de delitos comunes. Se trataba de dos sujetos responsables de haber robado y apuñalado a un tendero de Bogotá. Una descarga de fusilería los mandó al papayo en la Plaza de Bolívar a las diez de la mañana del 14 de marzo. El general Mosquera se encargó de mejorar el récord en 1861, cuando dispuso la ejecución de cuatro enemigos acusados de delitos políticos. Los últimos fusilados fueron los conspiradores que intentaron matar al general Rafael Reyes el 10 de febrero de 1906 (ver lección correspondiente).

Desde entonces se acabaron en Colombia los salvajes decretos que decretaban la muerte de un compatriota en nombre de la justicia y con armas pagadas por los impuestos de los ciudadanos. Ahora se ejecuta sin necesidad de decretos, y son muchos los que costean sus propias armas.

Muerticos a un lado, lo que no se puede negar es que Mosquera marcó en su primera administración un hito en el progreso del país. Entre otras cosas, fomentó la navegación a vapor por el río Magdalena; inició el ferrocarril en Panamá y en otros puntos de la república; trazó el camino Bogotá-Santa Marta; fundó el Colegio Militar, y lanzó el nuevo sistema de monedas. Sería ingenuo decir que fueron obras perdurables, lamentablemente, pues el río Magdalena se acabó; los ferrocarriles ya no existen; a Panamá lo perdimos; el camino a Santa Marta se borró, y el Colegio Militar ha desaparecido. En cuanto a las monedas, ¿hace cuánto no oye uno mencionar la onza, el granadino, el cóndor y el octavo, para no hablar del doblón y la macuquina?

*Mascachochas*, que, como se ha dicho, empezó su carrera como conservador y la acabó matriculado en el liberalismo, fue uno de los gobernantes que más contribuyó a cambiar el país. Pero una ingente contribución hicieron también los radicales, muchos de ellos enemigos acérrimos de Mosquera. Los radicales tenían muy sanas ideas, pero a veces eran medio chiflis al ponerlas en práctica. «No éramos sino unos candorosos y honrados demagogos», decía José María Samper después de la volteada: «Eramos socialistas sin haber estudiado el socialismo».

Diga lo que diga don Chepe, las reformas radicales y liberales introdujeron en la república —al menos por un tiempo— la separación de la Iglesia y el Estado, libertad religiosa y de enseñanza, la extinción de los monopolios, los impuestos directos, la abolición de la prisión por deudas y el fortalecimiento de las provincias. Por otra parte, el desarrollo del comercio rompió los esquemas feudales heredados de la Colonia y tejió el nido donde se empolló el capitalismo moderno.

Consideremos unas cifras elocuentes[1]. En 1851 había en el país 661.654 colombianos solteros y 538.518 casados.

---

1. Confieso que no sé qué significan estas cifras, ni cómo se relacionan las unas con las otras, pero he visto que los modernos libros de historia meten muchas estadísticas económicas y demográficas. Para algo habrán de servir.

En cambio, tan sólo aparecen censados 47 alemanes y 166 franceses. Todo esto sucedía a pesar de que había particulares en Piedecuesta y Honda que ganaban 4.523 anuales con la concesión de salinas, mientras que la producción de tabaco subió entre 1851 y 1867 de 1.840 toneladas a 5.692. ¿Ocurría este fenómeno a expensas de la producción global del agro? Dudoso, pues lo cierto es que en 1848 la exportación de café no pasaba de unos pocos quintales, y en cambio en 1897 era ya de 700.000. Se calcula, por tanto, que el café representaba a fines del siglo pasado veinte millones de pesos oro, diez y nueve vigésimos de los cuales se formaron entre 1850 y 1890.

No es de extrañar, entonces, que los delitos de sangre hayan pasado del 16 por ciento del total de crímenes en 1860 al 80 por ciento en 1869, justo seis años después de la libérrima Constitución de Rionegro. Sin embargo, no puede decirse lo mismo de los gravámenes de fundición de oro, que se redujeron en 1849 del 4 por ciento al 1,5 por ciento, siempre y cuando se destinara al consumo doméstico y no a la exportación. Para entonces, ya los colombianos empezábamos a mostrar ciertas tendencias hacia el contrabando de artículos prohibidos.

A fin de eludir el pago de los mayores impuestos con que se castigaba a la exportación, surgieron los orotraficantes. Nos dice Camacho Roldán: «El contrabando se hacía exportando el oro en polvo en las barras huecas de las grandes jaulas con tigres o culebras, o en los cinturones de los viajeros»[1]. No hay nada nuevo bajo el sol, y mucho menos bajo el sol de Colombia. En 1976 —126 años después de los hechos que señala Camacho Roldán— cayó

---

1. Para que no crean que es mentira, ahí va la cita completa: Salvador Camacho Roldán, *Memorias* (Bogotá: Biblioteca Popular de Cultura Colombiana, 1946), tomo I, pág. 81.

en Nueva York un cargamento de cocaína colombiana que viajaba entre culebras destinadas a diversos zoológicos del país; una de ellas iba rellena de la blanca sustancia. En 1988 descubrieron en España un alijo de cocaína escondido entre los barrotes de las jaulas de unos caballos importados de Colombia. Y todos los días son detenidas *mulas* que llevan paquetes prohibidos en cinturones de plástico alrededor de la barriga.

En octubre de 1878, cuando Mosquera falleció a los 80 años en su hacienda Coconuco (Cauca), había ocupado tres veces la presidencia —una de ellas, por obra de las armas— y lo habían derrocado, con todo y gorrito de flores, en 1867. Pero murió feliz. ¿Y saben por qué? Porque le importaban un carajo la producción de tabaco, la concesión de salinas, el contrabando de oro en polvo y las exportaciones de café. A él lo que le encantaba era torear a los curas.

## INDIOS, NEGROS, MUJERES
## Y OTRAS BESTIAS

Es inexacto afirmar que el siglo XIX fue un siglo de varones. Para figurar en la historia no bastaba con ser varón. Había que ser varón, blanco y de buena familia.

Los demás —los indios, los negros, los pobres, las mujeres— eran menos que ciudadanos. No digamos que eran bestias, porque, faltando los carros, los aviones, las flotas y las busetas, las bestias eran animales muy apreciados. Eran más bien muebles. Un indio, un taburete; un negro, una mesa; un pobre, un cojín; una mujer, una cama.

Empecemos por los indios. Muchos de los que sobrevivieron a la Conquista no lograron hacerlo a la Colonia; y muchos de los que pasaron el Rubicón de la Colonia murieron luchando durante la Independencia. Al fin, establecida la república, quedaban unos pocos grupos nativos. Los que permanecían en la selva o llano adentro estuvieron a salvo hasta que llegaron, en el siglo XX, diversas misiones evangelizadoras en español y en inglés, y camarógrafos de la televisión francesa.

En cuanto a los que vivían en poblados indígenas cerca de villas y ciudades, habían perdido su lengua madre al comenzar la república, pero conservaban sus costumbres y algo de su tierra. El propósito de los resguardos indígenas creados por la corona española había sido, como su nombre lo indica, resguardar a los indios supervivientes en centros de propiedad comunitaria para que nos los arrasaran del todo.

La república resolvió acabar con este régimen. Y con el lema de *Indio feliz es indio con parcela*, empezó en 1821 el desmonte de los resguardos. «Rechazamos esas comunidades porque agrupan a los indios como si fueran un hato de vacas gordas», decían los primeros padres de la patria. Pero ocurre que muchos de los primeros padres de la patria eran tíos de la tierra y primos hermanos de los cultivos. Así que lo que les convenía era quitar la protección legal que tenía la propiedad comunitaria y, una vez repartida entre los indios felices con parcela propia, comprar, indio por indio, la felicidad y la parcela y ponerlos a trabajar por salarios de hambre.

Fue así como, en pocos años, los indígenas pasaron de los resguardos a otras comunidades que los agrupaban como si fueran un hato de vacas flacas, llamadas asilos de mendigos. ¿Qué había ocurrido? El proto-sociólogo Salvador Camacho Roldán sintetizó así el proceso en sus *Memorias* (1894): «Los indígenas inmediatamente vendieron las parcelas que les fueron asignadas a vil precio a los gamonales y se convirtieron en peones de jornal... Sus tierras de labor fueron convertidas en dehesas de ganado, y los restos de la raza poseedora siglos atrás de estas regiones se dispersaron en busca de mejor salario a tierra caliente».

De allí nació el refrán de «indio comprado, indio fregado».

## ¿A cuánto la docena de negros?

En cuanto a los negros, su situación era aún peor, pues ni siquiera podían tener una parcela para venderla. A los que sí vendían era a ellos. Conquistada la independencia, Simón Bolívar dictó algunas normas para liberar los esclavos, pero no funcionaron. Faltó quórum, alguien no colocó el sello que se necesitaba o se les olvidó publicar el decreto en el Diario Oficial. No se sabe. Lo cierto es que en el Congreso de Cúcuta de 1821 sólo se pudo declarar la libertad de partos: «esclavo parido, esclavo ido». Pero en lo demás prevalecía la ley anterior: «esclavo anterior a mil ochocientos veintiuno, es de uno».

Así, al llegar a la mitad del siglo, había aún más de veinte mil esclavos a los cuales se sumaban, por razones prácticas, muchos de sus hijos supuestamente libres después del Congreso de Cúcuta. Los precios de un buen esclavo en 1844 eran altísimos para la época, al menos en el mercado de Bogotá. La sección de avisos limitados habría anunciado así el Mercado del Esclavo Usado en 1844:

Esclavo fuerte de 18 años . . . . . . . . . . . $200
Esclava hermosa y fuerte de 24 años . . . $250
Esclava fea y fuerte de 40 años . . . . . . . $300

Por esos mismos tiempos, una arroba de papa costaba menos de un peso; un caballo se vendía por 20; una vaca por 14; un buey por 25; y una mula por 30. Una esclava cuarentona, pues, tenía el precio de diez mulas. Esto explica que los propietarios de esclavos —muchos de ellos pomposos padres de la patria— se mostraran enemigos de filantropías libertarias y otras pendejadas. Claro que ocultaban sus verdaderos intereses tras la fachada de los de la patria. «Primero hay que desarrollar a fondo la economía nacional, y ahí sí podremos darles la libertad a los esclavos —decía el presidente de ANANE (Asociación Nacional de Negreros)—. Lo que no se puede es hacer desarrollo económico y justicia social al mismo tiempo: que esta segunda espere un poco». ANANE aconsejaba esperar unos años —200 ó 300— antes de dar este paso «que conspira contra la iniciativa privada y amenaza al sufrido gremio empresarial».

Pese a todo, el 21 de mayo de 1851 se aprobó la ley de José Hilario López que manumitía a los esclavos a partir del primero de enero de 1852 y establecía cómo serían recompensados los negreros. El desembolso fue más alto que si se hubiera construido el metro subterráneo entre Barranquilla y Bogotá. El tesoro público pagó más de dos millones de pesos: el doble de la carne que producía la Sabana de Bogotá en 1868. Se piensa que los esclavistas conservadores tardaron meses en entender el significado del verbo *manumitir*. Cuando lograron averiguarlo, se pusieron bravísimos. Dice Camacho Roldán: «Entre las causas que determinaron la insurrección conservadora de 1851, la abolición de la esclavitud fue quizás la que obró con más intensidad».

Los negros, pues, quedaron aliviados de cadenas desde hace 142 años. Pero aún no se cumple cabalmente el artículo 1º de la famosa ley: «Todos los esclavos que existan en el territorio de la República... gozarán de los mismos derechos y tendrán las mismas obligaciones que la Constitución y las leyes garantizan e imponen a los demás granadinos». Parece que sólo les hubieran dado libertad para ser futbolistas, músicos o meseros. Porque, siglo y medio después, ¿quién ha visto un negro en la gerencia de un banco grande o en la presidencia de la Bolsa de Bogotá?

## Ave Marías

En cuanto a la mujer, si uno juzga por los libros de historia, parecería que, mientras los hombres gobernaban y luchaban, ella permanecía en casa viendo televisión. La verdad es que, con frecuencia, detrás de las epopeyas masculinas del siglo XIX aparecen mujeres silenciosas, sacrificadas y trabajadoras, como la mía[1]. En tiempos de la Independencia, las mujeres seguían a pie a los ejércitos libertadores para que los varones tuvieran ropa limpia, alimentación caliente y arruncho nocturno. Después, con la República, las mujeres tenían que aguantarse en casa la neura de los godos, el permanente estado de excitación de los radicales y la quejantina de los generales cuando no estaban en combate: qué dónde me pusieron la espada, que por qué no me han brillado las botas, que si le dieron comida al caballo, que quién se puso a partir panela con mi pistola de dos cañones...

Y no se crea que, cuando estallaban las guerras civiles, todas las mujeres se limitaban a sollozar en su casa y rezar el rosario en la iglesia. Con frecuencia ayudaban a cargar mosquetes, empacar cartuchos, llevar y traer armas, vigilar puestos, curar heridos y cuidar de las bestias. Muchas señoras intentaron enrolarse en alguno de los bandos y salir a echar bala, pero los generales, como Tobi y sus amigos, prohibían la entrada de mujeres a sus pelotones, de puro ídem. Sin embargo, durante la Guerra de los Supremos, una sonsoneña de armas tomar logró burlar la vigilancia machista. La paisa se cortó el pelo, se uniformó de soldado, se pintó bigote, fingió voz gruesa y logró entrar a las filas de infantería y combatir al lado de las

---

1. Ruego al lector perdonar este pequeño homenaje que debo desde hace rato a mi mujer.

fuerzas del gobierno. Era doña María Martínez, casada
con el caballero sueco Pedro Niessen. Maruja no sólo
peleó sino que también peroró a las tropas para que no
dejaran caer el ánimo. Gracias a ello ganaron. Y cuando
las gentes del lugar supieron que ese bravo recluta de
pecho abultado era una mujer, exclamaron al unísono:

—¡Pobre sueco!

Sin embargo, no es que los colombianos del siglo pasado
fueran misóginos o maricas. Simplemente consideraban que
la guerra, el gobierno, la administración de justicia, la
legislación y el juego de tresillo eran tareas de caballeros.
Por eso ellas no votaban ni podían ser elegidas. Pero, para
compensar tal discriminación, casi todos los señores destacados bailaban mucho con sus novias en tiempos de paz
y encerraban en su nombre un homenaje femenino. En esa
cuña onomástica estaba representada la mujer colombiana.
Vean si no una lista mínima de caballeros famosos de
aquellos tiempos: Manuel María Mallarino, José María
Samper, Lorenzo María Lleras, Antonio María Londoño,
Rafael María Palacio, Angel María Gutiérrez, Antonio María Pradilla, Manuel María Gómez, José María Vesga...
¡Allí había más marías que en QAP!

Es tan mezquino el papel que reserva a las damas la
naciente república, que la mujer más famosa de Colombia
en la segunda parte del siglo XIX viene a ser *María*, que
no era una mujer sino una novela de Jorge Isaacs.  El
libro cuenta la historia de amor entre dos primos —María
y Efraín— en una bucólica hacienda del Valle del Cauca.
María es una hermosa adolescente de larga trenza, y Efraín
un joven propenso a la lágrima de amor. Los novios se
adoran, pero no llegan a tocarse ni una uña porque un ave
negra los espía desde los árboles y grazna cada vez que
van a darse un beso. El graznido encierra sorpresa y advertencia. Algo así como ¡*cracc!*

Por culpa del ave negra la trama es de tal castidad que desespera incluso a los lectores menores de cinco años. Finalmente, como era de esperarse, las ganas contenidas producen en María una enfermedad pulmonar que acaba por llevarla a la tumba. Al morir, deja como recuerdo a su amado la trenza de dos metros de longitud. La última escena muestra a Efraín cuando visita la tumba de María; allí se topa a la maldita ave negra que vuelve a emitir su graznido, pero esta vez mucho más sordo y siniestro. Algo así como *crrrraacccc*....

Casi todos los críticos consideran que *María* representa el más sublime canto al amor puro. Pero no les cuento la interpretación tan dañada que es capaz de armar un psicoanalista freudiano con el pájaro negro de Efraín y la tupida melena de María...

# EL GOBIERNO DEL MECE-MECE

El más trascendental aporte de Rafael Núñez Moledo a la historia nacional fue el control remoto político, o comando presidencial a distancia. Núñez fue el primero en descubrir que a Colombia se la puede gobernar desde lejos, y que así queda mejor gobernada. El lo hacía desde Cartagena, donde había nacido en 1825. Por eso, a partir de entonces, los presidentes no saben qué inventarse para imitarlo: que el plan de rehabilitación de la ciudad —a fin de poder ir con frecuencia—, como hizo Carlos Lleras Restrepo; que las islas del Rosario, como Alfonso López Michelsen; que el apartamento en El Laguito, como Belisario Betancur; que la Casa de Huéspedes Ilustres, como Julio César Turbay; que las parrandas vallenatas, como César Gaviria; que la casa propia, como Gabriel García Márquez, el más fiel copresidente que ha tenido la nación.

Núñez gobernó a Colombia durante más tiempo que nadie: nueve años, repartidos a lo largo de cuatro períodos presidenciales[1]. Y fue, con Mosquera, protagonista estelar de la segunda mitad del siglo XIX. Para conseguirlo, sólo necesitó vivir en Bogotá una parte del tiempo. Su acierto fue ese: mucha mecedora, poco solio.

—Ej que ese Rafa —como decían en la Costa— ej un jodido...

«Rafa» era una mezcla un poco desordenada de sangres y conocimientos. Su abuelo era español, su madre medio mexicana y su padre colombiano. Estudió por su propia cuenta diversas materias y, cuando al fin se matriculó en la universidad, tuvo que retirarse para ingresar a la guerra civil de 1840, aquella que se llamó *de los Supremos* porque unos creían que era un supremo error y otros pensaban que era una suprema estupidez. Se graduó de abogado a los 17 años, cuando aún no le había salido la barba, y se marchó a ocupar el cargo de juez en Chiriquí (Panamá) a los 25, cuando aún no le había salido el nombramiento. En 1825 ya lo encontramos dedicado a la política.

En esa época Núñez era, según sus propias palabras, «miembro irrevocable del liberalismo colombiano». Pero años después se volvió miembro irrevocable del partido conservador y cuando lo sorprendió la muerte estaba a punto de conseguir una nueva aproximación al liberalismo y declararse irrevocablemente miti-miti.

—Ej que ese Rafa —como decían en la Costa— ej un zorro...

La política le trajo al «zorro» muchas satisfacciones y no pocos dolores de cabeza. En 1853 tuvo que batirse a duelo: su pistola falló y el pleito acabó en agua de borrajas. El 21 de junio de 1882 recibió noticia de que iba a ser

---

1. Mosquera es segundo, con ocho, y López Pumarejo tercero, con siete. Laureano Gómez permaneció quince meses, pero a todos nos parecía una eternidad.

víctima de un atentado y resolvió que, en vez de protegerse, lo mejor era convertirse en un cadáver presentable. Vestido de frac y con guantes, estuvo esperando al asesino en la casa santafereña donde se alojaba. Pero, con la típica impuntualidad de los bogotanos, el criminal nunca apareció.

—Ej que ese Rafa —como decían en la Costa— ej un templao...

El «templao» fue enemigo declarado de los radicales, hasta que acabó con ellos, y promovió la organización centralista del país consignada en la Constitución del 86. Su frase de combate fue: «Reorganización administrativa fundamental, o catástrofe». En realidad, Núñez no hizo otra cosa que manejar astutamente una tendencia nacional hacia las frases altisonantes. A Colombia no la han gobernado tanto las ideas como las frases. El disco duro de nuestra historia registra apenas una docena de grandes sentencias por las cuales caminamos a saltos, como por las piedras de un pantano. Estas son algunas de ellas (*al final, consulte los autores y el premio reservado a quienes los adivinen*):

1) «Aré en el mar y edifiqué en el viento».

2) «Si las armas nos dieron la independencia, sólo las leyes nos darán la libertad».

3) «Voto para que no se asesine al Senado».

4) «Me dieron un país y les devuelvo dos».

5) «Fe y dignidad».

6) «¡A la carga!»

7) «El poder, ¿para qué?»

8) «En el país hay un millón ochocientas mil cédulas falsas».

9) «Colombia no ha tenido un presidente más honrado que yo».

10) «Son las siete de la noche: a las ocho todos deben estar en sus casas».

11) «Pasajeros de la revolución, favor pasar a bordo».

12) «Ji-ji-ji-ji-jí»[1]

### Los llamaba «poemas»

La famosa frase de Núñez se ha ido abreviando con el tiempo. De la «Regeneración administrativa fundamental, o catástrofe», se pasó a «Regeneración administrativa, o catástrofe», y de allí a «Regeneración o catástrofe». Hoy, si uno mira lo que ha ocurrido, la frase sería tan sólo: «Oh catástrofe». Montado en semejante lema, Núñez puso fin al desmadre federal y cambió la historia del país[2].

—Ej que ese Rafa —como decían en la Costa— ej muy vivo...

El «vivo» tenía muchas virtudes, algunas debilidades extrañas y el gravísimo defecto de su poesía. El verso era en él una reacción instintiva, como la secreción de jugos

---

1. Las respuestas son 1) Simón Bolívar; 2) Francisco de Paula Santander; 3) Mariano Ospina Rodríguez; 4) José Manuel Marroquín; 5) Eduardo Santos; 6) Jorge Eliécer Gaitán; 7) Darío Echandía; 8) Laureano Gómez; 9) Gustavo Rojas Pinilla; 10) Carlos Lleras Restrepo; 11) Alfonso López Michelsen; 12) César Gaviria Trujillo. Si usted acertó en todas ellas, tiene derecho a pedir un ejemplar de la versión en croata de *Nuevas Lecciones de histeria de Colombia*. Recomendadísimo por los croatas.

2. Núñez fue un tipo importante, pero no un Dios infalible, como creen algunos; ni sus rivales eran unos loquitos irresponsables, como proclaman otros. Según dice con justicia Alfonso López Michelsen, «una leyenda propagada por los propios liberales tiende a hacer de la figura de Núñez el constructor de la República, casi un hado providencial que nos redimió del desenfreno del federalismo y le devolvió el orden a una República anarquizada por instituciones inaplicables en regiones tropicales». Sí, no exageremos.

gástricos en el perro de Pavlov, con la diferencia de que
era mejor poeta el perro. Cada vez que lo contradecía un
parlamentario, que le renunciaba un ministro, que perdía
una elección o que se enamoraba de una mujer, Núñez
escribía un poema. El país le temía como poeta lo que le
agradecía como gobernante. En cierta ocasión dejó constancia del concepto que tenía sobre sus propias capacidades
de escritor: «Mi literatura es bárbara —escribía en 1889
a su vicepresidente Miguel Antonio Caro—. Tiene vigor
a veces, pero es materia prima». Tenía razón. Era y sigue
siendo bárbara, pero no en el sentido elogioso en que los
argentinos usan la palabra. Su literatura es realmente una
barbaridad.

La letra del Himno Nacional —con la Virgen que se
depila a manotazos, los soldados con halitosis, las termópilas brotando y la constelación de cíclopes— es apenas
una muestra. Pero hay otros poemas aún peores. Pongan
atención, por ejemplo, a la siguiente reflexión geológico-
metafísica:

> ... Formidable vacío
> que abre en el corazón desierto cráter
> y hace al alma perderse en desvarío,
> que es mayor mientras más ardiente es ella...
> De lo Inmenso he ahí la primera huella.

¿Y qué tal la siguiente estrofa en que se confunden la
deontología y la odontología?

> El hombre es un sepulcro
> de sus propias heladas emociones,
> y cuando de ellas alza el mármol frío,
> de su alma en lo profundo infeliz siente
> algo como incisión de sutil diente.

La obra suprema de su literatura es un largo poema filosófico titulado en francés «*Que sais-je?*» («¿Qué sé yo?»), cuya lectura suscita en el lector la necesidad imperiosa de responder: ¡*Qué m'import*!

Entre las debilidades extrañas de Núñez la más comentada era su atuendo. Solía llevar vestido negro de paño, chaleco de terciopelo con leontina, corbatín estilo vaquero y guantes de cabretilla. Le encantaba usar gafas oscuras en ciertas entrevistas, para que su interlocutor fuera incapaz de detectar sus intenciones en la mirada.

Tenía también curiosas aficiones. Una de las más firmes eran los dulces. A las cuatro y media de la mañana le llevaban una taza de chocolate a la cama. Hacia las once almorzaba una sopa, un pescado y un postre, casi siempre de coco, batatilla, tamarindo o níspero. A las tres de la tarde despachaba un vaso de agua de azúcar con azahar, y, antes de acostarse, una taza de agua con almíbar. Mientras leía en su alcoba o en su escritorio picaba almendras, bocadillos veleños, uvas moscatel y otras golosinas. Sólo usaba el comedor cuando tenía invitados; todas sus comidas las hacía en el escritorio. Allí almacenaba, según el historiador Indalecio Liévano Aguirre, «cajas de galletas *Albert*, jalea *Morton*, un queso de bola holandés, algunos platillos y vajillas de uso personal».

—Ej que ese Rafa —como decían en la Costa— ej un man muy dulcero...


## Acompañado por la Soledad

El *man*, además, era aficionadísimo a las *women*. A los 17 años tuvo un romance con una muchacha de la sociedad cartagenera cuyo nombre permanece aún en secreto; fue una relación que empezó en forma casta pero

que, alentada por la brisa marina, el susurro de los co-
coteros, la dulce siesta del trópico, el murmullo de la
música vallenata y esa permanente excitación de Rafa,
terminó con el embarazo de ella y el exilio de él. Se
marchó de urgencia a Tumaco. Del chino nunca se supo.
Fue su primer amor.

El segundo estuvo a punto de surgir cuando era gobernador de Bolívar en 1851 y conoció a Soledad Román,
una sardina cartagenera cuya familia iba a ser famosa por
la kola, y se enamoró de ella. Pero Soledad estaba a punto
de comprometerse con el hijo de un catalán, y vacilaba.
Para que pusiera fin a la duda y le otorgase su mano,
Núñez le dedicó un poema que decía:

> Grande arrobo, además, es para el alma
> elevarse a la cumbre del deber,
> y luego desde allí, en austera calma,
> en la base asombrado al vulgo ver.

Esta estrofa fue suficiente para Soledad, que no le otorgó
la mano, ni nada, sino que le pidió que se retirara de
inmediato. Con el corazón destrozado, Núñez se fue para
Panamá. Recaló en el municipio de Alanje, un pueblo sin
gracia cuyas únicas atracciones eran las peleas de gallos
y una joven llamada Concepción Picón y Herrera. Como
Núñez aborrecía las galleras, terminó en el seno tibio de
Conchita.

Tampoco esta pasión le duró mucho tiempo. Por intermedio del gobernador de la provincia, José de Obal-
día, había conocido a Dolores Gallego, cuñada de aquél.
Despechado de la primera y destetado de la segunda,
se casó con la tercera. Mientras tanto, doña Soledad,
haciendo honor a su nombre, había echado al catalán
y se había quedado a orillas del Caribe suspirando por

ese abogado de barba negra y pómulos parecidos a las de Faye Dunaway que hoy gozaba de su propio canal de Panamá.

El asunto con la Lola resultó tan efímero como los anteriores. En 1862 Núñez era cónsul en Nueva York, a donde llegó sin Dolores, de la cual acabaría divorciándose. Un año antes había conocido en Bogotá a Georgina de Haro, viuda quinceañera de un capitán, y se había enamorado de ella. Cierto día le cayó a Georgina de visita y los dos novios, resueltos a combatir la carestía de la vida, que en Manhattan es aterradora, se fueron a vivir juntos. Era su cuarto amor. Inspirado en los coches de caballos que recorren los alrededores del Central Park, dedicó a ella un poema pacifista en inglés, cuyo original, por fortuna, se ha perdido:

> I love you en el Central Park
> cuando estás montando en coch.
> I hate the guerrillas FARC,
> because matan very moch.

Después de este poema, Georgina prefirió permanecer en el extranjero cuando Núñez tuvo que regresar a Bogotá. En la lontana capital, envuelto por el frío y las tinieblas de los Andes, que nunca le resultaron atractivos, Rafa volvió a sentirse solo. Entonces descubrió a Nicolasa Herrera, que había sido amiga suya en Cartagena, se enteró de que también había quedado viuda y corrió a reemplazar al difunto. La relación suscitó un tierrero en la pacata sociedad santafereña, hasta el punto de que Núñez le propuso matrimonio legal para salir del lío. Pero Nicolasa le dio calabaza (este podría haber sido el mejor verso de Rafa), y Núñez, triste y en la oposición —pues los radicales habían subido al poder—, se largó a Cartagena.

El día de su llegada salió a repasar los viejos rincones de su nostalgia. Y cuando caminaba por la playa rocosa que se extiende frente a la muralla, en proximidades de las bóvedas, se topó con una mujer, ya medio solterona, que, anclada en el sitio, suspiraba desde 1852 con la vista fija en el horizonte. Núñez adivinó de inmediato quién era esa alma adolorida y se aproximó a ella. La mujer, al escuchar pasos a su espalda, volvió a mirar y encontró un cincuentón de barba entrecana, cejas erizadas y ojos hundidos.

Lo reconoció por el traje, como ocurre a Superman y Batman. Solamente él habría sido capaz de llevar, en semejante clima, vestido negro de paño, chaleco de terciopelo con leontina, corbatín estilo vaquero, guantes de cabretilla y gafas oscuras. La mujer sintió un estremecimiento:

—Hola, Rafael...

—Hola, Soledad...

Un cuarto de siglo después, los dos amados volvían a estar juntos. Se encontraban bastante más jechos, pero no por eso menos apasionados. Doña Sola fue a partir de ese momento su compañera inseparable, pese a que se casaron por lo civil el 28 de junio de 1877.

Los radicales, que habían establecido el divorcio vincular, armaron otro escándalo farisaico cuando Núñez, ya presidente por segunda vez, y divorciado y vuelto a casar con todas las de la ley, quiso llevar a Soledad a Palacio. A él y a ella les dijeron de todo, pero a ambos les sobró personalidad para afrontar la situación[1]. Aquella noche de

---

1. En Colombia ha habido más matrimonios que presidentes. Núñez es solo un ejemplo de *replay*. Los siguientes jefes de Estado contrajeron dos bodas, bien por muerte del cónyuge o por divorcio: José María Obando, Tomás Cipriano de Mosquera, José Hilario López, Mariano Ospina Rodríguez, Sergio Camargo, Ezequiel Hurtado, José Vicente

agosto de 1884 en que él la presentó a los asistentes a un sarao en la casa presidencial como «la primera dama», Núñez no dejó de esbozar una sonrisa pícara pues sabía que, en realidad, Soledad era la sexta.

—Ej que ese Rafa —como decían en la Costa— ej muy gallinazo...

## Decretogramas

Muy «gallinazo», pero también muy gaviota, porque se trataba sobre todo de un ave marina, que sólo se sentía a gusto cerca de la playa. Por eso los vicepresidentes de Núñez sabían que con él —para seguir hablando en términos ornitológicos— tenían paloma segura; algunas de ellas tan largas como los seis años que permaneció Miguel Antonio Caro sentadito en el solio de Bolívar con sus zapaticos negros de charol mientras Núñez gobernaba a punta de telegramas desde la mecedora de El Cabrero, su casa de Cartagena. Sería ridículo hablar de un Palacio Presidencial de tierra caliente, porque El Cabrero es una construcción bonita y cómoda, pero sin ningún lujo. De otro modo, hoy sería discoteca y no monumento nacional.

Núñez se había organizado bien el asunto. Durante sus primeras administraciones hacía esfuerzos por permanecer en Bogotá, a la que llamaba «la ciudad nefanda». Incluso, la primera vez que se posesionó llegó con siete días de

---

Concha, Miguel Abadía Méndez, Ernesto Samper Pizano, Alfonso López Pumarejo y Julio César Turbay. Los dos últimos fueron los únicos cuya primera esposa fue primera dama. El único con tres matrimonios a cuestas es Ospina Rodríguez. Quien lo ve tan conservador...

atraso. Después las escapaditas fueron cada vez más frecuentes. Y, como en esa época no había aviones, cada viaje implicaba cerca de dos semanas de desplazamientos, viáticos cuantiosos, comiso, varias mudas de ropa interior y aerosol para espantar caimanes. En fin, un complique. En su última elección (1892) ya no se puso en viajes, posesiones cachacas, ni pendejadas. Una ley de 1888, fabricada a la medida de Núñez, lo autorizaba a posesionarse de la presidencia en Cartagena ante sólo dos testigos. Así lo hizo[1].

Pero no se crea que, allá en Cartagena, el presidente abandonaba sus funciones. Por el contrario: mientras fumaba un puro de Ambalema[2] y se mecía en su silla, escribía cartas y telegramas al vicepresidente: era el mando por control remoto. Paradójicamente, la instalación del telégrafo, sin el cual Núñez no habría podido cumplir su sueño de presidir el país desde la playa, había sido obra de Manuel Murillo Toro, uno de los odiados radicales. Por esta vía el señor Núñez intervenía en todo: nombramiento de ministros, instrucciones sobre políticas en el Congreso, indicaciones a consulados y embajadas y hasta solicitudes a Caro para que (¡Horror horroris!) tradujera poemas suyos al latín. A pesar de tratarse de recados telegráficos, el lenguaje a menudo resultaba complicado y prosopopéyico. Una típica correspondencia entre el primer mandatario y el segundo era de este estilo:

---

1. Una cruel contradicción de Núñez es que el presidente Francisco Javier Zaldúa, que era un viejito sumamente enfermo, pidió permiso al Senado en 1882 para ejercer el poder desde Anapoima. Núñez, que lo odiaba, consiguió que se lo negaran, y Zaldúa murió de bronquitis poco después. «Ej que ese Rafa también era medio miedda...»

2. Por el nombre con que se conocía a ese tipo de tabacos podrán ustedes juzgar la calidad: se llamaban *rabo de rata* y sabían a eso, más o menos.

*Cartagena, agosto 7 de 1892*
*Excmo. Sr. Caro.*
*Bogotá.*
*Vista incapacidad Cámaras para reunir Congreso comienza acentuarse opinión porque se convoque Constituyente PUNTO Prolongación probable de actual anarquía COMA hija de quimeras demagógicas PUNTO Saludo afectuoso a mi señora doña Anita y prole.*
*RAFAEL NUÑEZ*

A lo cual respondía Caro de esta guisa:

*Bogotá, agosto 10 de 1892*
*Excmo. Sr. Núñez*
*Cartagena.*
*Actual anarquía no sólo hija de quimeras demagógicas COMA sino nieta frustraciones institucionales y hermana soberbia despotismo PUNTO Pienso mucho en doña Sola.*
*MIGUEL ANTONIO CARO*

Y un nuevo telegrama de Núñez:

*Cartagena, 12 de agosto de 1892*
*Excmo. Sr. Caro*
*Bogotá.*
*Cierto es PUNTO*
*RAFAEL NUÑEZ*

El oficio de permanecer en su mecedora escribiendo y leyendo telegramas produjo en Núñez dos consecuencias. La primera, que durante su mandato nunca existió un vacío de poder. La segunda, que desarrolló almorranas.

En efecto, el pobre tenía que viajar con frecuencia a Curazao, donde había médicos muy calificados en estas

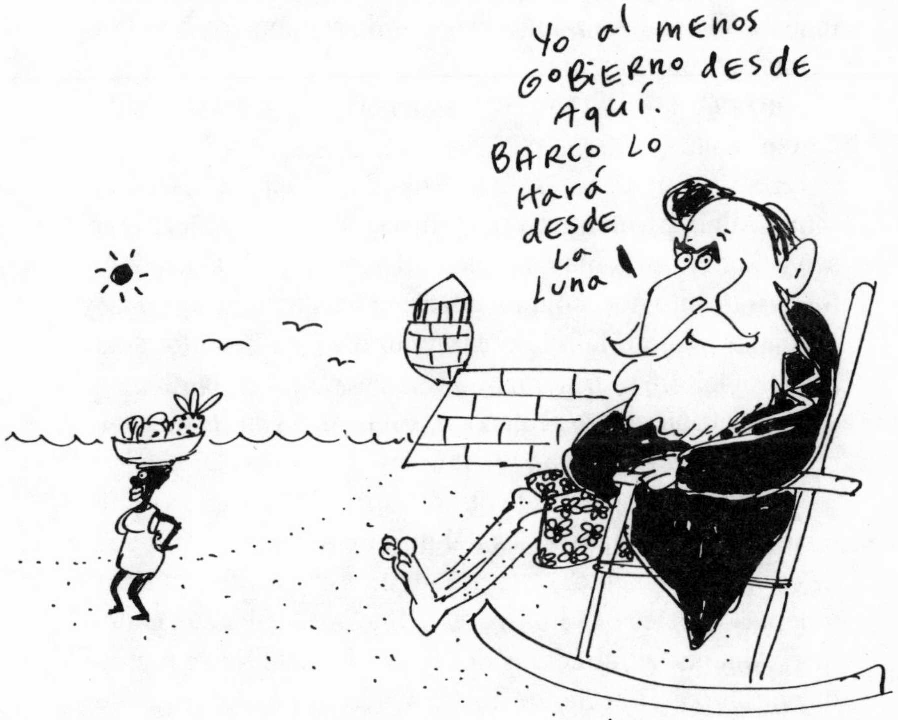
Yo al MENOS GOBIERNO desde AQUÍ. BARCO LO Hará desde la Luna

ciencias tan incómodas, a someterse a tratamientos para sus dolencias digestivas y hemorroidales. Sería necesario realizar algún estudio serio para determinar si el dulce de coco y el postre de tamarindo fomentan las almorranas, o si éstas se deben más que todo al pésimo hábito de permanecer sentado sin hacer ejercicio. El caso es que, con la afición de Núñez por el dulce, debió haber muerto de diabetes. Pero vino a fallecer el 18 de septiembre de 1884 de un derrame cerebral.

—Ej que ese Rafa —como decían en la Costa— tenía cipote seso...

En sus últimas horas acompañaron a «cipote seso» su mujer, algunos amigos y un obispo, aunque Núñez, con ser godo, era más bien anticlerical y un tantico agnóstico. Su testamento fue conmovedoramente parco. Dejó a su hermano Ricardo la biblioteca y un reloj de bolsillo; a su hijo Rafael un caro abrazo; a sus enemigos el perdón; y a doña Sola un retrato al óleo, un anillo y «la grata esperanza de que nuestras almas se junten en el seno de Dios».

Pocos días después del entierro, un pescador que seguía instrucciones pre-póstumas del difunto atiborró su piragua de cartas, documentos, recortes, diarios opositores sin abrir y demás papeles del archivo de Núñez, y los lanzó en alta mar. Algunos admiradores del fallecido caudillo se escandalizaron por el hecho de que la viuda hubiera sacrificado así el valioso tesoro de los archivos del Regenerador. La mayoría de los colombianos también se escandalizaron, pero más que todo porque no hubieran agregado la poesía de Núñez al paquete náufrago.

# BIENVENIDO, SIGLO XX

Desde 1894, cuando quedó como titular del gobierno el muy diminuto, soberbio, repelente, pulquérrimo, honorable, sapiente y godísimo don Miguel Antonio Caro, los colombianos esperaban con ansia la llegada del nuevo siglo, a ver si con él amanecían también tibias esperanzas para el país.

(Don Miguel Antonio, a propósito, era tan estrecho de costumbres que se opuso por un tiempo a que una hermana suya se casara con don Carlos Holguín debido a que este caballero jugaba tresillo, que es como jugar hoy en día Nintendo. Holguín también llegó a ser presidente de Colombia, lo cual no es ninguna coincidencia, pues la historiadora Helen Delpar ha demostrado que los jefes conservadores eran todos de una sola familia: Caro era cuñado de Carlos Holguín; éste era hermano de Jorge, que también fue presidente, y ambos eran nietos de otro presidente: Manuel María Mallarino. Jorge, además, era consuegro del presidente Rafael Reyes. Según el expresidente

López Michelsen —hijo del expresidente López Pumarejo—, un hijo de don Carlos Holguín seguramente habría
alcanzado también la primera magistratura en los años
veintes «si no hubiera muerto atropellado por una bicicleta
en las calles de Bogotá». A fines del siglo XIX, el país
estaba gobernado por quince familias. Hoy lo manejan
muchas más, como veinte; pero no podría citar de memoria
cuáles son las cinco que han logrado sumarse a la rosca).

Las noticias sobre la aparición inminente del siglo XX
recorrían todos los rincones. Comentábase que podría asomar
la nariz de un momento a otro. La policía represora tenía
instrucciones precisas: si el *Equis Dos* —tal era su nombre
en clave— se atrevía a presentarse antes de 1900, sería
detenido de inmediato y acusado de usurpación de alma-
naque. En voz baja, las modistas afirmaban en 1896 que lo
habían visto comiendo viudo de pescado en Girardot. «Dicen
que es un cachifo muy elegante y bien plantado», comentaban.

—No —rectificaban las comadres en la plaza—. Es un
viejito casi ciego que arrastra los pies por culpa de la
artritis. Por eso no llegará antes de 1904.

—Hemos sabido que viene el martes próximo, pero con-
tinúa de inmediato hacia el sur. Tiene un contrato en Gua-
yaquil —sentenciaban los pesimistas de siempre en 1898.

Contra los pronósticos de las modistas, las comadres y
los escépticos, el siglo XX llegó con puntualidad asom-
brosa. El 1° de enero de 1900 desembarcó feliz en Riohacha
con un talego al hombro. Venía como pasajero de una
goleta de Curazao y, si no es porque presenta una carta
de acreditación del Observatorio londinense de Greenwich,
no le habrían creído que se trataba de él, pues a esa misma
hora lo aguardaba en la Plaza de Bolívar de Bogotá una
comisión oficial integrada por vejetes tiesos, impacientes
y elegantísimos. Los cachacos pensaban que el siglo XX
no podía nacer en otro sitio que la capital.

«La aparición del siglo XX en el muelle de Riohacha fue un acontecimiento inolvidable —recordaba una de las abuelas del autor de estas páginas, que era guajira—. Hacía un calor insoportable, lo que no impidió que, cuando se supo la noticia, todos, niños y viejos, corriéramos hacia los muelles a verlo. La hija menor de los Weber, nuestros vecinos, incluso trató de tocarlo. El siglo XX me pareció un señor muy simpático y educado. Vestía levita, corbata de lazo y zapatos con polainas, como era costumbre en esa época. Saludaba a todo mundo, mandaba besos a las muchachas, repartía caramelos a los chiquitos y se descubría el sombrero de copa ante los caballeros. Precisamente cuando se quitó el cubilete pude verle una verruga verdosa. Yo estaba en ese momento muy cerca de él, como de aquí a allí. La hija menor de los Weber, nuestros vecinos, incluso trató de tocarle la verruga».

El siglo XX se alojó en la posada de don Gratiniano Gómez, donde recibió a las autoridades y notables del puerto. Conversaron un rato y, después de tomarse una limonada y fumarse un puro, el visitante abrió el talego ante la general expectativa. Traía en él noticias buenas y malas. La principal de las buenas es que ese año se estrenaría en el país el servicio estable de luz eléctrica. La peor es que presidiría el gobierno un dúo afectado por caquexia senil que habría de costarle muy caro a Colombia. Sobre él volveremos en la próxima lección.

## El siglo de las luces eléctricas

Tal como lo había prometido el siglo XX durante su breve estancia inaugural en tierra colombiana, el 6 de agosto de 1900 se hizo la luz. La luz eléctrica. «Fue un acontecimiento inolvidable —recordaba otra de las abuelas del autor de estas páginas, que era bogotana—. Hacía un frío insoportable, lo que no impidió que, cuando se supo la noticia, todos, niños y viejos, corriéramos hacia la Plaza de Bolívar a observar el prodigio anunciado».

La capital registraba algunos antecedentes en la materia. Dos veces, en 1882 y en 1883, el gobierno había otorgado contratos a igual número de empresas que se mostraban dispuestas a traer el misterioso alambre que encendía luces. Pero en ambas ocasiones los concesionarios no habían salido con un chorro de luz sino de babas. A fines de 1889 otra compañía, pomposamente llamada The Bogotá Electric Light Co., había logrado montar un precario sistema termoeléctrico que alumbraba con arco voltaico, el dinosaurio de los bombillos[1]. Por desgracia, la falta de pago y el vandalismo —que acabó en pocos meses con lámparas públicas, robó cables y demolió postes— hicieron que la Bogotá Electric Light Co. quebrara en medio de un chisporroteo de acciones que quemó a más de un inversionista.

La luz de 1900 era distinta. Los nuevos empresarios, pertenecientes a una familia laboriosa y simpática que el autor no mencionará aquí para no ser acusado de nepotista, habían montado una planta hidráulica aprovechando las aguas cristalinas del río Bogotá: el mismo que hoy merecería llamarse río Caquetá o, dos veces, río Po. De ese punto venía ahora la electricidad, que, según demostraciones increíbles realizadas ante la prensa meses atrás, permitía encender bombillos, activar taladros, calentar cocinas y hasta poner en acción máquinas de coser. «Si no hubiera sido porque el señor arzobispo en persona bendijo la planta generadora, cualquiera habría pensado que eran trampas

---

1. *Nota del traductor*: Emplearemos en este trabajo el término *bombillo* y no *bombilla*, porque ha sido escrito originalmente en colombiano. También se dirá *ariquipe, alverja* y *borona*.

del diablo —decía la abuela bogotana del autor—. Cómo le explico, mijo: haga de cuenta una burbuja de cristal que el viento no podía apagar».

Ese 6 de agosto una multitud presenció alelada cómo se encendía la burbuja de cristal que el viento no podía apagar. Algunos chinos salieron a perderse creyendo que había llegado el fin del mundo; el Directorio Conservador pensó que había resucitado Núñez; los párrocos más montañeros cayeron de rodillas gritando «¡milagro, milagro!»; los liberales no dijeron nada porque estaban ocupadísimos librando la Guerra de los Mil Días.

Un mes después, cuando llegó la primera cuenta de la luz, todos entendieron que no eran el fin del mundo, Núñez, ni un milagro, sino el ordeño mensual del ciudadano moderno, que sólo termina cuando brilla para él la luz perpetua. La cual, además de ser perpetua, tiene la ventaja de ser gratuita.

La luz eléctrica inauguró en Colombia el siglo XX, o viceversa. Pero desde unos lustros antes el país venía incorporando poco a poco los progresos de la ciencia y la técnica, que en Europa y Estados Unidos producían la más significativa revolución desde la invención de la rueda.

El siguiente es un catálogo despeinado de algunas novedades que llegaron o intentaron llegar a Colombia *in illo témpore*:

• *Arrume de mapas*. A partir de mediados del siglo la Comisión Coreográfica que encabezó el sabio ingeniero Agustín Codazzi empezó a preparar y entregó luego la colección de mapas que le había encargado el gobierno. Allí pudimos conocer por primera vez en detalle las características físicas de Colombia. Resultaba importante saber cómo era nuestro territorio, porque no tardaríamos en empezar a perderlo.

• *Glu-glu-glu*. Después de haber sido presidente de la república por primera vez, y en vista de que durante algunos meses no se presentaba ninguna guerra en la cual participar, el general Mosquera resolvió que había llegado el momento de lanzarse a la aventura de convertirse en empresario. El 2 de noviembre de 1852 el gobierno concedió a Mosquera licencia exclusiva para «introducir en la Nueva Granada, fabricar y usar los buques submarinos perfeccionados por Lambert Alexander, cuyos derechos de invención le corresponden por cesión del inventor». Tenemos, pues, que el veterano *Mascachochas* pretendía importar al país los primeros submarinos, que desde 1776 eran revolucionaria novedad en los mares. El general, cuya experiencia en materia de aguas no pasaba del baño mensual en tina, quizás no entendía que el problema del submarino no consiste en conseguir que se hunda, sino en lograr que salga otra vez a flote. Por fortuna, se le atravesó otra guerra civil y abandonó por completo la peligrosa aventura de las naves de Lambert Alexander. De otro modo, es probable que hubiera pasado a la historia con el apodo de *El Ahogado*.

• *Jorobados*. En 1881 se le metió en la cabeza a don Pedro Navas Azuero que lo mejor para desarrollar las regiones desérticas del país era llenarlas de dromedarios. El emprendedor don Pedro compró en Madagascar una pareja de estos animales y otra de camellos por 6.000 pesos de la época, una suma estrafalaria, y los trajo. Pero fue un camello aclimatarlos. Llevados a Anopaima, murieron casi todos en cuestión de días. Sobrevivió una dromedaria, que, unos meses después, aparecía retratada en un grabado del *Papel Periódico Ilustrado*. Después de este fracaso, sólo ha sido posible criar con éxito en el clima de Anapoima al expresidente Alfonso López Michelsen y a los Santos Calderón.

• *Operación macadam*. En 1851 se firmó el primer contrato de pavimentación que recuerde el país. Se trataba, en realidad, de aplicar *macadam* o *Mac-Adams*, correoso tatarabuelo del pavimento que consistía en una capa asfáltica revuelta con arena. Con ella se cubrió el camino Bogotá-Facatativá, hasta entonces destapado. Fue una maravillosa novedad. Alguien tendría que contárselo mañana al alcalde de Bogotá.

• *A toda máquina*. La expansión del ferrocarril había recibido un fuerte impulso en la primera administración de Mosquera y años después, durante la de Núñez, conoció una de sus más prósperas etapas. De aquella edad dorada ya no nos queda sino el *Tren* Valencia. Al comenzar la década de 1890 se produjo un suceso muy significativo: fue fabricado el primer riel colombiano, al que cuajados santafereños pasearon en hombros por las calles de la capital envuelto en la bandera tricolor. El segundo riel salió de la fundición sin mayores ceremonias; en Bogotá no quedaba clavícula sana para alzarlo.

• *Raya punto raya*. El primer estado de la Unión que dispuso de telégrafo fue Panamá, que en 1865 tenía 89 kilómetros de alambrado. Bajo la presidencia de Manuel Murillo Toro se fundó la primera Compañía de Telégrafo, que el 1º de noviembre de 1865 debutó con un cablegrama entre la localidad de Cuatro Esquinas, a veinte kilómetros de Bogotá, y la capital. El telegrama decía: «Ojo a los vándalos». No le faltaba razón: pocos meses después, sujetos antisociales habían derribado parte de la red de postes telegráficos, roto los hilos y destruido los aisladores. Eran los tatarabuelos de nuestros actuales vándalos, padres de los que acabaron con la primera empresa de energía eléctrica.

• *A volar, jóvenes*. Los colombianos siempre tuvieron ganas de volar. Algunos lo hicieron desde la roca del salto de Tequendama, sin avión ni paracaídas, con desastrosas consecuencias. En 1799 echó un globo al aire don Juan Carrasquilla en Medellín, pero, prudentemente, no quiso montarse en él. El argentino José Antonio Flórez dejó boquiabiertos a los bogotanos al ascender en 1845 en un globo aerostático que terminó su vuelo sobre el tejado de un hospital convertido en un enorme hisopo. Flórez se salvó en esa ocasión, pero pereció años después en Guatemala al incendiarse su globo a 800 metros de altura: todavía está cayendo. El general Carlos Albán, guerrero conservador en la pelotera que duró Mil Días, fue pionero de los globos en Popayán. Pudo haber sido el primer oficial de aviación de nuestra historia, pero le faltaron alas.

• *Cuando Bogotá paró el tranvía.* Por la década de 1840 eran tan formidables los destrozos que producían carruajes y carretas en los adoquines de Bogotá, que su tráfico quedó prohibido. Los viajeros se apeaban en los límites del poblado y de allí en adelante viajaban en carretilla. Empujándola, me temo. Cuarenta años después la prohibición seguía vigente. La falta de locomoción colectiva impulsó que se inaugurara en 1884 el primer tranvía urbano. El tranvía era tirado por mulas y gerenciado por burros, pues los propietarios de la Bogotá City Railway Company (BCRC) eran unos gringos bárbaros y brutales. El 7 de marzo de 1910, la BCRC iba a protagonizar un escándalo típicamente imperialista y neocolonial, compañero.

En esa ocasión, un gringo atarván de los que administraban el tranvía le dio en la jeta a un alférez de la policía e insultó nada menos que la dignidad nacional. El pueblo bogotano, que estaba herido por el robo de Panamá (ver lección correspondiente), quiso matar al gringo, y las autoridades, en un rapto de locura, no lo permitieron. Entonces los cachacos decretaron un patriótico boicot del tranvía. *Todo colombiano que use este vehículo será con-*

*siderado como yanqui*, decía una de las pancartas populares; a la cual, para evitar tentaciones equivocadas, se le agregó después: *Pero no por eso podrá entrar sin visa a los Estados Unidos*. La BCRC pagó mercenarios y regaló pasajes, pero los bogotanos se mantuvieron firmes: ellos andaban a pie, mientras los tranvías circulaban vacíos a su lado. Las marchantas, flor popular, expresaban su opinión por medio de huevazos, tomatazos y madrazos. «Fue un movimiento que bien podría señalarse como un auténtico paradigma a las generaciones presentes», observa el tomo tercero de la magnífica *Historia de Bogotá* de la Fundación Misión Colombia. El boicot se prolongó durante cerca de seis meses, al cabo de los cuales el municipio nacionalizó la compañía. ¡La dignidad del país estaba a salvo! ¡Los heroicos bogotanos habían vendido muy cara su resistencia! Y los mugrosos gringos muy cara su empresa.

• *Aló, aló....* El 21 de septiembre de 1881 el presidente Rafael Núñez escuchó un extraño sonido en el Palacio Presidencial. Era como un timbre que emitía una caja adornada con un extraño cuerno de metal y un cordón. Instruido por uno de sus ministros, descolgó el auricular y escuchó un clarísimo «¿Aló, aló?» al otro lado de la línea. Momento histórico: se trataba de la primera llamada telefónica que se cruzaba en el país. A partir de ese instante, la señora de Núñez agarró el aparato y no lo volvió a soltar hasta 1900, cuando la Compañía Colombiana de Teléfonos, que había instalado la línea, logró vender sus depreciadas acciones a The Bogotá Telephone Company.

•

La quiebra y la venta de la Compañía Colombiana de Teléfonos nos sitúan de nuevo en el año de gracia de 1900, año de la luz eléctrica y de la oscuridad política. Aprovechémoslo para saltar a esta última, donde encontraremos a un personaje llamado José Manuel Marroquín: ¡él era la famosa verruga verde que habían atisbado en el pericráneo del siglo XX la abuela guajira del autor de estas páginas y la hija menor de los Weber, sus vecinos!

## EL BINOMIO DE PIEDRA

El sistema electoral indirecto que regía en 1898 había sido diseñado por el señor Caro para que el partido conservador se perpetuara en el poder. Se trataba de una enredadísima mezcla de álgebra, aritmética, latín, culinaria, náutica, pirograbado y sectarismo que permitía a los conservadores, con la mitad de los ciudadanos, obtener el 86 por ciento de los votos por medio de las Asambleas Electorales. Esto garantizaba la continuación de una hegemonía que venía desde los tiempos de Núñez. El cartagenero había gobernado a través de Caro, y Caro ahora pretendía seguirlo haciendo a través de una fórmula de presidente y vicepresidente escogidos a su gusto: marionetas que movían sus propias marionetas. Y lo peor es que entonces el período presidencial era de seis años.

Así nos fue.

El nombre que más le gustaba a Caro era el de José Manuel Marroquín, la verruga verde de la lección pasada. Se trataba de un santafereño ingenioso, rezandero, godo, gramático y tacañísimo. Era de los que tenían a mucho honor, como Caro, no haber salido nunca de la Sabana de Bogotá, quizá por no gastar plata[1]. Hay que decir en su honor que Marroquín era un poeta altamente divertido y un simpático miembro de tertulias, que gozaba inventando comedias para representarlas con los amigos a fin de no pagar entradas de teatro.

Fue autor, también, de un célebre tratado de ortografía en verso del cual copio unas estrofas con admiración:

> Con v escríbense válvula, vaca
> vanagloria, vasija, venero,
> vaticinio, valor, vocinglero,
> vegetando, valer, vacilar.
> Y vaivenes, vedija, vascuence,
> vasallo, varar i vecino,
> vaina, vale con vástago, vino
> y verdugo con vera, vaciar.
> Y viador con vehículo, vaso,
> verifica, vernal y veleta,
> vendimiando, vermífugo, veta
> y vehemente, verbal y volver.

Don José Manuel, como puede verse, era de chispa poética sobresaliente. Así lo demuestra una vez más en el poema *La Perrilla* («Aquella perrilla sí/, cosa es de volverse loco,/ no pudo coger tampoco/ al maldito jabalí») y en una deliciosa serenata en versos arrevesados («Ahora que

---

1. La verdad es que sí se aventuró más allá de la Sabana: una vez estuvo en Villeta, a 65 kilómetros, y otra en Fusagasugá, a 60. Caro alcanzó a llegar hasta San Gil, ardua travesía que le tomó cinco días a caballo. Ninguno conoció el mar, por fortuna, pues con seguridad habrían llevado estropajo, jabón y bata de seda a la playa.

los ladros perran/ y que los gorjeos pájaran,/ y que los rebuznos burran/ y que los mugidos vacan...»).

Lo malo, ay, es que su administración resultó mucho más arrevesada que su serenata: ahora que los dirijos ineptan...

(Entre paréntesis: sobre la traña tendencia colombiana a mezclar gramática y política escribió un ensayo buenísimo el profesor británico Malcom Deas. De su contenido se puede deducir que los conservadores eran más inclinados hacia la gramática que los liberales, y éstos se preocupaban más que aquellos por la ortografía. El legendario general Uribe Uribe odiaba por igual a los godos y a los galicismos, y luchó contra ambos a brazo partido. Logró vencer al gerundio galicado, pero lo derrotaron los godos. Cuando Laureano Gómez realizó un debate que desalojó de la presidencia a su copartidario Marco Fidel Suárez en 1921, lo que más le dolió a Suárez no fue que lo tumbaran, sino que Laureano, en su discurso demoledor, llamara *ovejos* a los corderos. Cierro paréntesis).

El único inconveniente que ofrecía Marroquín a los ojos de sus copartidarios era el de su juventud: en 1898 sólo tenía 71 años[1]. Caro aducía, para convencerlos, que su muchacho ciertamente estaba un poco sardino, pero que había madurado muchísimo por las siguientes razones: 1) había sido criado por los abuelos; 2) estaba casado con una prima hermana; 3) se dedicaba a la gramática; y 4) era miembro de la pía Sociedad de San Vicente de Paúl.

---

1. Hay que tener en cuenta que en esa época la pectativa de vida era inferior a los 50 años. Un hombre de 70, pues, le había dado ya vuelta y media al contador de kilómetros. No había muchos de esos.

La mohosa cúpula conservadora consideró que el chino Marroquín aún no estaba suficientemente rancio para la jefatura del Estado. De modo que lo eligió vicepresidente y escogió para la presidencia al abogado bugueño Manuel Antonio Sanclemente, que a la sazón tenía 147 años, aunque sólo aparentaba 85. Gracias al sistema electoral vigente, este Binomio de Carbono 14 pudo masacrar al ilustre Dúo Dinámico que había lanzado el partido liberal. No diré el apellido de don Miguel***, el celente candidato liberal a la presidencia, para que no se me acuse de nepotataranietismo.

Semejante triunfo constituye, según el historiador Plazas Vega, «el más grave error electoral que se ha cometido en Colombia, y sus consecuencias tal vez nunca se podrán reparar completamente». Ellas fueron, principalmente, la Guerra de los Mil Días y la separación del estado de Panamá.

Los problemas de Sanclamente empezaron desde el primer día. La prostatitis aguda impidió al pobre llegar a Bogotá a tiempo para la posesión, y en su nombre lo hizo Marroquín. Una frase cursi de su discurso decía: «Mamé con la leche la admiración por los hechos de nuestros padres». A diferencia de la leche, el gobierno de Marroquín iba a ser completamente inmamable.

La artritis sólo permitió que Sanclemente arribara a la capital tres meses más tarde, en noviembre de 1898. Pero estaba tan fatigado que no pudo desplazarse hasta la sede de la Corte Suprema de Justicia a jurar el puesto. Los miembros de la Corte acabaron acudiendo al cuarto de enfermo del presidente, donde éste tomó posesión entre jarabes antihistamínicos, infusiones de diversas yerbas, ungüentos para el catarro, lavativas de aguapanela y papeletas contra los dolores reumáticos. Ha sido el único mandatario que no se sentó en el solio de Bolívar, sino directamente en el pato.

## «Fijáte a ver qué fue ese golpe, ve...»

Sanclemente estaba tan fregado que gobernaban por él los jefes conservadores. Lo hacían por medio de sellos de caucho que imitaban de manera burda la firma presidencial. Cada ministro llevaba su sello, y lo estampaba en los decretos del ramo sin consultar a nadie. El avaro de Marroquín sostenía que era para ahorrar tinta. Su jefe no se daba cuenta, o lo permitía; bastante tenía con cuidarse el enfisema pulmonar y evitar que se le desprendiera la caja de dientes en las escasas reuniones de gabinete. Al poco tiempo, el matusalén bugueño resolvió presidir el país desde tierrita caliente, mirá, que sabés que le mejoraba mucho el dolor de las articulaciones, oí, y se marchó a Anapoima, ve. Marroquín quedó encargado del poder, a la espera de que el titular pasara a mejor vida.

Pero como Sanclemente no sólo no se moría, sino que insistía a veces en opinar sobre las cosas de su gobierno —«viejo abusivo»—, el 31 de julio de 1900 Marroquín y sus jefes optaron por darle un golpe de Estado. Se apoderaron tranquilamente de la presidencia y enviaron a Sanclemente en calidad de preso político a Villeta, cuyo clima no te imaginás cómo le alivia el dolor de las articulaciones, mirá, y cómo le sienta para el resuello del pecho, sabés...

La evaluación del golpe que hizo el propio Marroquín es típica de su apretado sentido del ahorro y su flaco sentido de la democracia. «Nunca ha habido conspiración o revolución tan barata[1] como la del 31 de julio —escribió luego—. Ni para ganarse voluntades de militares o de

---

1. Extraña, en un gramático de tantas campanillas como Marroquín, tan grave error de concordancia. El sujeto plural («conspiración o revolución») no guarda armonía con el empleo del adjetivo en singular («tan barata»).

empleados, ni para ninguna otra cosa se había gastado un centavo».

En un principio se pensó que Marroquín era un viejo cacreco manejable. Pero luego se vio que era mucho peor: era un viejo cacreco inmanejable. Así quedó demostrado tres días después del gerontogolpe, cuando nombró gobernador de Cundinamarca a Aristides Fernández, un personaje siniestro y represivo que sembraba el pánico en los propios copartidarios de Marroquín. Cuando varios miembros de su movimiento se acercaron a Palacio a quejarse por el nombramiento, confiesa el propio presidente golpista, «yo me arrebaté: les eché ajos y les declaré que si habían esperado tener en mí un instrumento, se habían equivocado».

Lamentablemente, las malas pulgas de Marroquín sólo servían para despachar congresistas quejosos. Porque tres años más tarde, cuando se produjo el robo del istmo de Panamá, el presidente demostró que era mucho kikirikí y poquita espuela.

Desde que se separó Panamá, hace falta al *Tratado completo de ortografía castellana* un prosaico e inédito apéndice que dice así:

Llevan la P:

Por Penosa Pasividad Prostático Presidente Perdimos Panamá. Patético Panorama: Prettando Peloteras Partidistas Peligrosas Para Progreso Panameño, Poderosos Piratas Puritanos —Perpetuos Policías Paupérrimos Países Panamérica— Pagaron «Próceres» Para Perpetrar Patraña. Por Pocos Pesos Patrocinaron Pseudo-independencia, Pescaron Proto-nación Para Poder Prolongar Pacífico Por Paso Perforado. Políticos Pusilánimes, Presidente Pacato Permitieron Pavoroso Proceso. ¡Pobrecita Patria!

# LA ZANJA DE LA DISCORDIA

Al primero que se le ocurrió la idea de hacer en el istmo de Panamá un canal que uniese el océano Pacífico con el Caribe fue a Leoncico, el perro de Vasco Núñez de Balboa que descubrió el Mar del Sur[1]. Las excavaciones iniciales del terreno corrieron a cargo del propio Leoncico, quien se aburrió de echar pezuña cuando, al cabo de dos días, no había encontrado un solo hueso. Carlos V dispuso entonces, por medio de una Cédula Real de 1534, que se integrara una comisión para determinar «la forma que podría darse para abrir dicha tierra y juntar ambos mares». La comisión todavía está estudiando si debe instalarse en Madrid, sede del imperio, o en Ciudad de Panamá, como

---

1. Para conocer detalles sobre la historia del famoso perro Leoncico, no se pierda el primer tomo de *Lecciones de histeria de Colombia*, por este mismo autor, en esta misma editorial y a esta misma hora. Muy recomendado por la Asociación Canina Colombiana a todos sus perros afiliados.

gesto de amistad con motivo del primer centenario de América.

Estados Unidos, en cambio, vio muy pronto que un canal en la cintura de América podría ahorrar muchos días de viaje entre la costa este y la costa oeste. Concretamente, al evitarse el vueltonón por el Cabo de Hornos, en la punta de Suramérica, un barco tardaba veinte días menos en recorrer el trayecto entre Nueva York y Eureka, California. El problema de fondo era: ¿a quién diablos le interesaba ir a Eureka, California?

Mientras averiguaban la respuesta a tan difícil pregunta, los gringos se marginaron del proyecto. Pero a la idea de unir los dos mares no le faltaban locos. Uno de ellos fue el barón franco-británico Charles de Thierry, quien logró que en 1835 el gobierno del general Santander le otorgase concesión para abrir un canal, construir un ferrocarril interoceánico y explotarlos ambos durante medio siglo. Para que ustedes juzguen el grado de locura del tal barón conviene mencionar los obstáculos que adujo para el trazado de la línea férrea. En primer lugar, que el terreno que debía atravesar el tren estaba cubierto por restos humanos hasta varios pies de profundidad, lo cual hacía bastante inestable el terreno. (Leoncico, recuerden, ya había demostrado que esto era falso). Y, segundo, que, como en el istmo no había hierro y sí algunas minas de oro, lo más adecuado era construir los rieles con el metal precioso. Como bien anota Eduardo Lemaitre en su libro *Panamá y su separación de Colombia*, las razones de Thierry muestran hasta qué punto estaba loco el barón, pero no «dan muy buena idea sobre la sensatez del gobierno».

A todas estas, la misma administración que había suscrito el contrato con Thierry a un plazo de 50 años firmaba otro a 45 con la empresa Salomón & Co. con el fin de explotar un canal, un ferrocarril, una carretera, un parque de diversiones, o lo que fuese. El consulado francés vetó luego a Salomón, y el gobierno se lanzó a firmar un tercer contrato, esta vez con un coronel de apellido Biddle, para lo mismo y por el mismo tiempo. La habilidad jurídica de Santander explicaba así esta jungla de concesiones: «El primero es inexistente; el segundo es nulo; y al tercero le aplicamos la caducidad. Por lo tanto, podemos celebrar un cuarto contrato».

Y lo celebró. El beneficiado en esta ocasión era el comisionado francés Napoleón Garella, que aportaba como apoyo técnico nada menos que al Papa. En efecto, Pío Nono había dado su bendición *urbi et orbi* al proyecto de Garella y proponía construir el canal bajo los auspicios del Vaticano. Su Santidad citaba a Moisés como asesor de la obra, y recordaba con admiración de qué modo éste había abierto tremendo boquete en el Mar Muerto para que pasara el pueblo de Dios hacia la tierra prometida. «Bastará apenas medio milagro de estos para completar nuestro proyecto», concluía el Papa.

Al gobierno no le convencía mucho lo de Moisés, habida cuenta de que llevaba más de tres mil años muerto, pero firmó el contrato, por si las moscas. Y, como en materia de licitaciones no hay sexto malo, el 8 de junio de 1847[1] suscribió otro más con un tal Mateo Kelin para construir y explotar una línea férrea durante casi un siglo. Aunque

---

1. Es muy curioso cómo la fecha del 8 de junio titila como ocasión relevante y casi siempre amarga a lo largo de nuestra historia. En ese día de 1853 se produjo el más fuerte enfrentamiento registrado entre artesanos y cachacos. El 8 de junio de 1929 el régimen de Miguel Abadía Méndez dio muerte al universitario Gonzalo Bravo Páez, lo que provocó una crisis de orden público. Exactamente 25 años después estalló el enfrentamiento entre los estudiantes y el gobierno del general Rojas Pinilla, que luego fue permanente, y el 8 de junio de 1945 nació el autor de este libro, que recomendamos sin ambages.

Santander también había muerto —hacía sólo once años—, el general Mosquera seguía la tradición de firmar concesiones para ver si al fin alguien unía el Pacífico y el Atlántico.

—¿No es demasiado concederle 99 años, general? —le comentó uno de sus asistentes.

—Mire, joven —le respondió Mosquera—: dentro de 99 años yo estaré muerto, Mateo Kelin también y usted por lo menos se estará sintiendo malito. Así que qué nos importa...

El caso es que ni el Barón de Thierry, ni el señor Salomón, ni el coronel Biddle, ni el ahijado del Papa, ni nuestro padre Moisés, ni don Mateo Kelin lograron excavar una sola palada de tierra en Panamá. Habían transcurrido quince años en balde. Pero ahora ya los gringos creían saber quiénes estaban interesados en viajar de Nueva York a Eureka, California: los buscadores de oro. ¡Eureka! El ferrocarril sería un atajo invaluable para los mineros pobres que se desplazaban del Este a California atraídos por la fiebre del oro, y para los mineros ricos que regresaban de California dispuestos a comprar un apartamento en los condominios de Miami Beach.

Fue así como Washington acabó metiendo las narices en Panamá. Que era como decir en Colombia, pues el istmo se había incorporado espontáneamente a nuestro país en noviembre de 1821.

No tardaría también en meter las garras. En 1846 Colombia firmó un ingenuo tratado por el cual el ratón introducía el gato a su cueva para que le ayudara a cuidar el queso. Dicho tratado (Mallarino-Bildack) confería poderes a Estados Unidos para garantizar el libre tránsito del istmo, sin desconocer, por supuesto, no faltaría más, cómo se les ocurre, la soberanía de la Nueva Granada en él. Durante la vigencia del tratado, tropas de Estados Unidos desembarcaron en territorio panameño en 1856, 1860, 1861, 1862, 1865, 1873, 1885 y 1901. El gato se había acostumbrado a rondar a ambos: al queso y al ratón.

Contemos por ahora la historia del queso. En 1850 una empresa gringa obtuvo la concesión para construir el ferrocarril transoceánico, verdadera hazaña de la ingeniería civil que logró derrotar la selva y la malaria. Un lustro después se inauguraban por fin los 71 kilómetros de la línea férrea entre las playas del Caribe y las del Pacífico. En 1880, una empresa francesa que había jurado abrir el canal acabó comprando el ferrocarril y firmando una concesión a 99 años para explotar la obra. Aún no se había dado la primera palada. El proyecto estaba diseñado por el ingeniero canalólogo Fernando de Lesseps, quien ya había hecho en Suez algo parecido a lo de Moisés, pero sin ayuda divina. Entonces sí se dio la primera palada, en 1882. Pero la compañía fracasó y todo el paquete —ferrocarril, hueco a medio abrir y zona aledaña— pasó a poder de los Estados Unidos. Desde 1898 Washington ya le había puesto la mira al queso, y ahora conseguía acercarse peligrosamente a él.

En el proyecto de tratado entre Colombia y Estados Unidos para la explotación del canal lo que menos se mencionaba era el canal. Las cláusulas incorporaban toda clase de elementos de soberanía gringos sobre la zona, relegaban a un plano ridículo la presencia del Estado colombiano y procuraban pagar lo menos posible por todo ello. Si un policía colombiano capturaba un ladrón, tenía que leerle sus derechos en inglés. Y si el ladrón había nacido, por decir algo, en Tennessee, quedaba automáticamente libre y el policía iba a la cárcel. Hasta los helados, los negros y las empanadas tenían que ser gringos. Los oficiales del ejército colombiano estaban obligados a decirles *dear protector* —que quiere decir «querido protec-

tor»— a los ingenieros gringos, pero los ingenieros gringos
se limitaban a llamar a los oficiales del ejército colombiano
*assholes*, que quiere decir «huecos de asno». A cambio,
Colombia podía seguir usando el dibujito del istmo de
Panamá en su escudo y Marroquín quedaba autorizado
para decirle *Hi, Teddy* («¡Qui'hubo, Teodorito, mijo!») al
presidente Theodore Roosevelt.

### «¡Ai tuc Pánama!»

Este Roosevelt era una especie de Rambo finisecular
que se la pasaba medio año combatiendo cuerpo a cuerpo
contra los osos y el otro medio invadiendo países. Era el
prototipo del presidente gringo deportista, que es lo más
peligroso que le puede suceder a América Latina; está
probado que, por algún extraño condicionamiento psíquico,
cada ve que llega a la Casa Blanca un inquilino al que le
gusta el deporte, acaba ordenando el desembarco de *ma-
rines* en territorio latinoamericano. Dwight Eisenhower,
que era golfista, invadió a Guatemala y derrocó a Jacobo
Arbenz en 1954; John Kennedy, que era aficionado a los
deportes náuticos, apoyó una invasión a Cuba; su sucesor,
el fanático del rodeo Lyndon B. Johnson, invadió a la
República Dominicana; Ronald Reagan ordenó desde una
cancha de golf el desembarco en Grenada; George Bush,
que era tenista, ocupó a Panamá en 1989. El pobre Jimmy
Carter, en cambio, que caía exhausto cada vez que salía
a trotar, no invadió a nadie, que se sepa. A Haití lo invaden
todos los presidentes: hasta los que, por todo deporte, se
limitan a jugar canasta y *scrabble*. Es que invadir Haití
es un deporte nacional.

Roosevelt era cazador, golfista, tenista, capitán de barco,
alzador de pesas, boxeador, domador de potros, futbolista,

basquetbolista, corredor de fondo y de velocidad, lanzador
de jabalina, gimnasta rítmico y de los otros, campeón de
ciclismo, luchador, experto en garrocha y fanático del
*scrabble*. Por eso no hay que sorprenderse de que se apo-
derara de Panamá. Lo extraño es que no hubiera seguido
hacia el sur y se hubiera quedado con Colombia: si llega
a descubrir que aquí se juega tejo, seríamos el estado
número 51 de la Unión. Y entonces la culpa de todo sería
de Bolivia.

El tratado que imponía a Colombia tan vergonzosas li-
mitaciones fue a estudio del Senado colombiano en 1903
y, como los congresistas se demorasen en aprobarlo, el
embajador gringo manifestó en nota oficial al gobierno
que si tardaban mucho en darle el visto bueno o se atrevían
a tocarle un solo artículo, «las relaciones amistosas entre
los dos países quedarían tan gravemente comprometidas
que el Congreso de Estados Unidos podría tomar los pasos
que lamentaría todo amigo de Colombia». Era una clara
advertencia del gato al ratón: o me das el queso, o te
atienes a las consecuencias... Para empeorar las cosas, la
ratonera estaba en desorden: godos y liberales habían librado la sangrienta Guerra de los Mil Días hasta el mes
de noviembre de 1902, cuando se firmó el Tratado de
Wisconsin... en un buque norteamericano, para mayor bo-
chorno. Ante la vulgar presión del embajador gringo, el
Senado de Colombia rechazó en forma unánime el tratado.
Corría el 31 de octubre de 1903.

Y he aquí que, por pura casualidad, un aventurero francés
habla con Washington para ofrecerle el istmo en bandeja;
y, por pura casualidad, el 3 de noviembre le dan ganas a
Panamá de independizarse; y, por pura casualidad, aparece
por ahí un vapor norteamericano, el *Nashville*, que, por
pura casualidad, impide a las tropas colombianas desem-
barcar a poner orden en lo que era territorio nacional; y,

por pura casualidad, se forma un gobierno de emergencia; y, por pura casualidad, el gobierno de Roosevelt reconoce diez días después como república al antiguo departamento colombiano; y, por pura casualidad, el nuevo gobierno le concede a Estados Unidos todo lo que exige: el canal, la zona del canal y un permanente protectorado político sobre sus asuntos internos.

El gato se había zampado el queso y, de paso, el ratón.

Unos meses después, cuando a Teddy le preguntaron si no eran muchas casualidades las que habían conducido a la supuesta independencia de Panamá, se murió de la risa, eructó, levantó una pata, escupió un pedazo de pipa, se sacó un trozo de carne de jirafa de una muela, disparó un tiro al aire y contestó:

—¿Coincidencias? ¡No ser pendejos, carrambas! ¡*I took Panama*!

Y, a todas estas, ¿qué hacía don José Manuel Marroquín, el ilustre presidente de Colombia? Se escondía. Se escondía y escribía comedias para representar en familia. Consta que cuando acudió indignada una comisión de ciudadanos notables a pedirle que Colombia hiciera algo contra semejante afrenta, Marroquín no quiso dar la cara. Mientras los notables aguardaban infructuosamente a que el jefe de Estado los recibiera, surgió de pronto, detrás de una cortina, la mano del presidente, agarró por el brazo a un notable que era amigo suyo y lo llevó a un despacho.

—Ven —le dijo— y me comentas qué te parece esta comedia que estoy escribiendo para representar en el cumpleaños de mi esposa...

Años más tarde, Marroquín dejó una ingeniosa declaración para la historia. «¿De qué se quejan? —comentó—. Puedo decir lo que muy pocos estadistas: recibí un país y devolví al mundo dos».

Había hablado el gracioso autor de la ortografía en verso.

El rapto de Panamá fue una herida nacional que tardó en cerrarse, y que aún sangra a veces. Cuenta el cronista Alfredo Iriarte que hace varios años le fue extraída una muela sin anestesia a una famosa y excéntrica millonaria bogotana. Al cabo de una lucha titánica entre las pinzas y la muela, ésta finalmente empezó a ceder en medio de crujidos.

—Doña Vicentica —preguntó el dentista—: ¿le está doliendo mucho?

—De ninguna manera —contestó la señora—. Dolor, lo que se llama dolor, la pérdida de Panamá!

Es hora ya de pensar positivamente y desentrañar las ventajas de tan traumática separación. Por lo pronto se me ocurren tres:

1) Ciudad de Panamá es muy húmeda.

2) La esposa del expresidente Endara ya no puede ser Señorita Colombia.

3) No somos compatriotas del general Noriega.

# EL REYES QUE RABIÓ

Del general Rafael Reyes dicen sus amigos que era un dictador bueno, conciliador y enérgico, y dicen sus enemigos que era un dictador perverso, sanguinario y soberbio. Pero todos dicen que era un dictador. La historia agrega que en 1904 fue elegido por seis años merced a una levísima ventaja sobre el general Joaquín F. Vélez —ambos conservadores— y que al integrar su gabinete convocó también al partido liberal, que se había negado a concurrir a elecciones o quizás no le avisaron que iba a haberlas.

Los hechos añaden que, al año de estar en el poder, Reyes había demostrado ya su temperamento autoritario: puso presos a varios de sus enemigos políticos, estableció censura de prensa y reemplazó el Congreso por una Asamblea Nacional que le montó un régimen a la medida, como si le hubieran agregado un segundo piso a la Constitución del 86. Según este régimen, siempre que Reyes fuera jefe de Estado el período presidencial se prolongaba a diez años. El primero, sin embargo, sería sólo de seis, pues

Reyes era respetuoso de las leyes. La división entre poderes se mantenía, sólo que el poder ejecutivo estaba montado sobre los otros dos.

Para controlar el orden, Reyes dispuso una serie de medidas astringentes que iban desde prohibir las reuniones públicas de más de una persona hasta impedir que los alumnos seminternos salieran a dormir a sus casas. A los externos se les prohibió abandonar sus residencias.

Estas decisiones suscitaron varias quejas ciudadanas. Una de ellas se expresó a través de un atentado que cometieron varios individuos de ruana cuando el presidente y su hija paseaban en coche por la zona de Barrocolorado, en cercanías de la actual sede de la Universidad Javeriana. Como en esa época no había muchos atentados (por ahí uno cada cinco o siete años) no se usaba el coche de caballos blindado, ni los políticos viajaban con burros de escolta. Del frustrado asesinato salieron ilesos el presidente, el cochero y el caballo. Pero la hija del general sufrió heridas. Una acción rápida e inteligente (en esa época no había *operativos)* permitió que los chapoles (en esa época no había *comandos especializados)* localizaran a los guaches (en esa época no había *presuntos sicarios*) y los metieran a la guandoca (en esa época no había *prisiones de alta seguridad*).

Aunque el atentado era *business, not personal,* como Reyes no había visto *El Padrino* lo tomó como un asunto personal y le dio mucha rabia que trataran de matarlo. Después de un juicio sumario y anticonstitucional (en esa época no existía Amnistía Internacional) los tres autores materiales fueron condenados a muerte. El autor intelectual se salvó gracias a sus palancas. Era «gente bien», hijo de «un conocido y honorable caballero, quien a fuerza de trabajo honrado ha levantado una respetable fortuna», según las actas oficiales del juicio. A los otros los fusilaron en presencia de diez mil espectadores e invitados especiales, en el mismo sitio donde habían intentado cometer el crimen. Ahora se levantan en ese lugar —carrera 7ª con calle 44— una discoteca, una cafetería y una estación de gasolina, pero al parecer no guardan carácter alguno de memorial.

Para justificar la ejecución de los conspiradores, Reyes inventó la primera fotonovela colombiana. Esta fue producida con actores profesionales, libretos de Baldomero Sanín Cano, dirección fotográfica de Lino Lara y vestuario cortesía de *Ruana's House*. Ayudado por técnicas primitivas de retrato y retoque que agregaban pintoresco realismo a las escenas, el gobierno publicó en el exterior un libro sobre el caso. Su parte más atractiva era el montaje de una serie fotográfica donde se relataba en forma visual cómo había ocurrido el intento de asesinato. La serie tenía como capítulo final fotos genuinas del fusilamiento de los acusados. Esta hábil mezcla de ficción y realismo hace que se la considere precursora del periodismo de televisión.

Los amigos de Reyes señalaron que la ejecución de los reos era un medida de autoridad indispensable para que el país no se precipitara por el abismo de la anarquía, mientras que los enemigos de Reyes lo acusaron de violar la Constitución para cometer un crimen de Estado. Pero todos estuvieron de acuerdo en que la fotonovela había sido estupenda.

Dejando a un lado sus tendencias a impedir que los opositores pensaran, expresaran su pensamiento e incluso respiraran y existieran, hay que reconocer que Reyes hizo un gobierno dinámico y honesto. Desarrolló los ferrocarriles y las carreteras, reorganizó el ejército y más o menos llevó a la práctica su lema de «Más administración (mía) y menos política (de los rivales)».

**Reyelandia, capital Reyópolis**

El problema surgió cuando de la fotonovela pasó a obras de ficción aún más atrevidas y le dio por inventarse un país y presentarlo como proyecto de ley a la Asamblea Nacional. El país contemplaba nuevos y extraños departamentos, como Galán, capital San Gil; Quesada, capital Zipaquirá; y Tundama, capital Santa Rosa de Viterbo. Reyes se proponía cambiar el mapa nacional, pero no sabía bien cómo partirlo. El primer proyecto que presentó creaba 34 departamentos; el segundo suprimía tres e incorporaba uno nuevo; un tercer proyecto reducía todos a diez; y el último proponía trece, para mostrar que no era agüerista.

El no lo era, ciertamente, pero la Asamblea Nacional sí. Desesperada de estudiar y aprobar proyectos de división política que luego iban a ser modificados por una nueva idea del presidente, la Asamblea buscó la renuncia del primer mandatario cuando aún le faltaba un año de gobierno. El general entendió que si se iba en ese momento podía dejar un buen recuerdo de su administración, pero que si insistía en terminar el período éste iba a pasar a la historia como *el sexenio nefando*. No se equivocaba. Muchos han llamado al gobierno de Reyes *el quinquenio nefando*. Un año menos de nefandez no es mala cosa.

El jefe de Estado salió hacia la costa atlántica en junio de 1909 y fue regando decretos por el camino, como Pulgarcito. En el último, ya con un pie en el barco que lo llevaría al exterior, presentó su renuncia y encargó del poder a Jorge Holguín, pariente de casi todos los óleos del Palacio Presidencial, incluido el suyo.

Reyes era el décimo cuarto político conservador que ocupaba la jefatura del Estado en serie. Hacía veinte años que el partido liberal no mojaba presidencia, y todavía le faltarían otros dieciséis para llegar a hacerlo. A Reyes siguieron Ramón González Valencia, Carlosé Restrepo, José Vicente Concha, Marco Fidel Suárez, Jorge Holguín (¡otra vez!), Pedro Nel Ospina y Miguel Abadía Méndez.

Con el gobierno de Abadía Méndez (1926-1930) la cosa empezó a ponerse buena para el partido liberal. Sucede que Abadía era un presidente a la antigua para un país que ya empezaba a tener ambiente y circunstancias modernas. Abadía era académico y bucólico. A él lo que le gustaba era dar sus clases de derecho —que siguió dictando incluso cuando ocupaba la primera magistratura—, corregir las tareas de los alumnos, regañar a los que se copiaban, tomarse un tintico con el decano, rezar su rosario vespertino y, los fines de semana, viajar a su finca Tegualda, en proximidades del cada vez más floreciente y hermoso municipio de Choachí, Cundinamarca, y allí sentarse a comer pomarrosas, fumar un tabaco y escuchar el murmullo del río Blanco. No lo culpo. Salvo el rosario vespertino, yo habría hecho exactamente lo mismo.

## YO TAMBIÉN TUVE AÑOS VEINTES

Mientras Abadía Méndez echaba siesta en Choachí, en Colombia empezaban a pasar cosas dignas del nuevo siglo. Estallaban huelgas en los campos de petróleo de Barrancabermeja; las bodegas de los viejos puertos no daban abasto con el volumen de mercancías que ahora consumía el país; los programas de radio empezaban a sustituir la cantaleta de los cónyuges en los hogares, y los dineros públicos, por razones complicadísimas, se agotaban sin remedio.

Estábamos en los revolucionarios años veintes...

«Los años 20 —dice Carlos Uribe Celis, quien mejor los ha estudiado— son los que marcan el inicio de la transformación más importante que hasta ahora ha vivido Colombia». Es entonces cuando surgen, entre otras, las novedades siguientes:

• Las primeras reinas y princesas de la belleza, que eran elegidas en los carnavales estudiantiles y tenían garantizada la aprobación del año y el matrimonio con el profesor más joven.

• Las caricaturas políticas del sombrío maestro Ricardo Rendón, en quien ya se adivinaba la influencia del maestro Héctor Osuna.

• Las primeras películas colombianas, cuya pionera fue, naturalmente, una versión de *María*. Eran mucho mejores que las actuales, con excepción de *La estrategia del caracol* y una o dos más. Sobre todo, los cineastas se quejaban menos.

• Las primeras mecanógrafas, que no sólo se las arreglaban para manejar ese endiablado invento moderno que era la máquina de escribir, sino que agregaban encanto a las oficinas, antes ocupadas por tipos de caspa y bigote.

• Las primeras mujeres feministas, que se distinguían de las otras mujeres en que querían ser parecidas a los hombres, y se diferenciaban de los hombres en que querían ser parecidas a las mujeres. La antioqueña María Cano, llamada «La flor del trabajo», se dio a conocer nacionalmente porque una tarde llegó de manera sigilosa hasta la casa del expresidente Carlosé Restrepo en Medellín, se acercó a las rejas de su ventana, perfumadas por fresca hiedra, y en vez de cantarle una serenata le largó un discurso la cosa más macha sobre la clase obrera.

• Los primeros partidos de fútbol, que se jugaron en la costa atlántica. El primer futbolista que tuvo Colombia fue Arnoldo Iguarán. Todavía juega.

• Los primeros campos de golf, en los cuales los palos, las bolas, el césped, los golfistas, los zapatos y hasta los *caddies* eran importados, pero los 18 huecos sí eran de fabricación colombiana.

• El cemento, gracias al cual empezó la tradicional escasez de cemento.

• Los primeros vuelos de avión, que se hicieron aprovechando como pista de aterrizaje la solidez de las aguas del río Magdalena, ya convertido en la gran alcantarilla nacional. El primer aeroplano que vieron los colombianos fue el *Bolívar*, que el 18 de junio de 1919 realizó el trayecto Barranquilla-Puerto Colombia sin dejar una sola maleta en tierra. Realizó, también, el primer viaje de correo aéreo del mundo. Las primeras empresas de aviación fueron la Compañía Colombiana de Navegación Aérea (ya desaparecida) y la Sociedad Colombo-Alemana de Transporte Aéreo (convertida en Avianca). Aquella se estableció en Medellín con cuatro aviones y ésta en Barranquilla.

• Los primeros accidentes aéreos (atención, porque parece un poquito confuso), a saber: el 19 de abril de 1920 se vino a tierra en Barranquilla el avión *Cartagena*; y el 20 de julio se desplomó en Cartagena el avión *Santa Marta*. En el primer percance pereció el piloto, Jean Jourdanet, y se salvaron los pasajeros Pepa Restrepo de Vásquez, Ester Vásquez y Jaime Vásquez. En el segundo murieron el piloto y un pasajero, y se salvó otro.

• Las primeras señoritas ojerosas de la revista *Cromos*, donde ya aparecían, ataviadas con ropa de la época, Ivonne Nicholls, Asenet Velásquez, Gloria Zea, Lulú Bernal y el paisa Luis Guillermo Angel, aunque sobra decir que este último no era ni es señorita.

• Los primeros automóviles, modelos arcaicos que permitían recorrer en veinte minutos el trayecto que antes tomaba al ciudadano de a pie sólo quince. Según estadísticas oficiales, en 1925 había en Medellín —a la sazón de cien mil habitantes— 226 automóviles, 132 camiones, 561 bicicletas y —¡qué dicha!— tan sólo 11 motocicletas. También sobrevivían, de la vieja época, 73 coches de caballos, 19 carretillas y 981 carros tirados por bestias. No era como ahora, cuando las bestias no tiran del carro, sino que lo manejan.

• Los primeros «rascacielos», de seis o siete pisos, en cuya cúpula, según aseguraban los que habían logrado subir, hacía mucho más frío que en la calle y era imposible vivir porque la altura podría reventar el corazón del inquilino.

• El funicular a Monserrate, en Bogotá, que facilitó mucho el pago de promesas entre los peregrinos pudientes y evitó que los fieles que subían a pie para agradecer que el Señor Caído les hubiera curado una pierna rota, se quebraran las dos al rodar por un abismo.

• Los primeros sistemas de grabaciones, que se realizaban por medio de unos tubos forrados por dentro con un paño especial, y una máquina con agujas. No servían para nada, pero descrestaban a los calentanos.

• Las primeras aspiradoras, los primeros motos de tránsito y las primeras campañas de ahorro...

• Los años veintes fueron también la gran época de los debates parlamentarios. A falta de televisión y video-juegos, la gente iba a pasarla bien al Capitolio, donde —entonces— muchos congresistas sabían leer y escribir. En agosto de 1925 se produjo un famoso debate sobre la pena de muerte entre el conservador Guillermo Valencia, que estaba a favor, y el liberal Antonio José Restrepo, que se oponía. Durante dos semanas enteras, los chorros de oratoria inundaron el Salón Elíptico, descendieron las gradas del edificio, anegaron los sótanos, subieron de nivel hasta alcanzar los balcones copados por los espectadores y los empaparon con su hipnotizante retórica. El debate paralizó al país, y, como pasa hoy con el fútbol, se convirtió en tema de tentación para los publicistas. Revela Anita Gómez de Cárdenas en el mensuario medellinense *La Hoja* (Julio de 1994) que el periódico *La Defensa* publicó el siguiente aviso metido entre la información sobre el caso: «Como la pena de muerte sólo será aplicada a determinadas personas, han resuelto dejarla pasar para no castigar a todos los que toman Chocolate Carmona, el más delicioso, aromático, rendidor y barato».

Terminados los quince días de fragoroso debate, las barras intentaron aplicar la pena de muerte a los oradores y a los publicistas.

# CUADRILLA DE MALHECHORES

Los años veintes son también los de las primeras masacres modernas. Antes, en tiempos de las guerras civiles, las batallas dejaban cientos, miles de muertos. Pero, al fin y al cabo, eran enfrentamientos entre gente armada. Los años veintes inauguran una modalidad que se prolonga, incrementada en crueldad y frecuencia, hasta nuestros días; la de los grupos armados que disparan sobre la población civil inerme.

Sucedió en noviembre de 1928 en la zona bananera, la tierra de los platanales. La United Fruit Company, empresa que controlaba buena parte del mercado y la producción de banano del mundo, era dueña de extensas propiedades en el departamento del Magdalena. En ellas trabajaban cerca de 25 mil obreros a los que, a cambio de su labor durante doce horas diarias, se les permitía comer todo el plátano que quisieran. Sin embargo, como anotan Henao y Arrubla, «muchos de los obreros eran extranjeros de clase ínfima que propalaban ideas disociadoras». Y foráneas, naturalmente, que es lo que hace a las ideas realmente disociadoras.

Fue así como muy pronto los subversivos empezaron a sugerir que les pagaran propinas; y, puesto que estas ideas disociadoras avanzan cual reguero de pólvora, al cabo de pocas semanas ya no les bastaba con *sugerir* el pago de *propinas*, sino que estaban *exigiendo* salarios *justos*, como si no estuvieran autorizados a comer *todo* el plátano que les diera *la gana*. Esto es importante observarlo, porque si un trabajador quería comerse, por ejemplo, tres toneladas diarias de plátano, la empresa no se lo impedía. Tres toneladas diarias de plátano eran mucho más de lo que ganaba el presidente de los Estados Unidos, de modo que la queja de los obreros resultaba a todas luces injusta.

Esto no impidió que los trabajadores se fueran a la huelga, y que la huelga derivara en desórdenes. Al principio, los cortadores de banano se negaban a recoger las cáscaras de los plátanos que se comían. Pero más tarde magullaban los bultos, pellizcaban el producto, insultaban a los capataces y llegaron a destruir las líneas telegráficas y telefónicas para que no se pudiera informar que también habían destruido las casas de los capataces.

Esto ya era demasiado: la administración central no había imaginado que los obreros pudieran ser capataces de tanto. Abadía Méndez mandó entonces al general Carlos Cortés Vargas a buscar un arreglo con los bananeros que se hallaban bajo el dominio de las ideas disociadoras de los extranjeros de clase ínfima. El gobierno, sin embargo, tuvo buen cuidado de evitar en sus comunicados estos términos ofensivos, y se limitó a dictar la ley marcial y llamarlos «cuadrilla de malhechores».

No tardó Cortés Vargas en hacer valer sus dotes de hombre conciliador y pacífico. En la noche del 5 al 6 de diciembre invitó a los trabajadores a un diálogo «franco y aplomado» en la estación del tren. Los trabajadores acudieron a la cita, en número de 25.000. Una vez allí entendieron que el diálogo iba a ser franco de parte suya, y aplomado de parte del gobierno. Pues, cuando estuvieron todos reunidos, se abrieron las compuertas de los vagones de carga, aparecieron —según testigos presenciales— «catorce nidos de ametralladoras», y éstas empezaron a salpicar la multitud con plomo. Al cabo de una hora de balacera, habían muerto 24.999 trabajadores. Sólo uno, identificado como José Arcadio Segundo Buendía, logró escapar con vida y dar testimonio de la masacre.

Después se han dicho toda clase de mentiras y han nacido toda suerte de leyendas acerca de lo que ocurrió aquella noche en Ciénaga, Magdalena. Que hubo medio millón de muertos, que un millón, que fueron recogidos dos millones de cadáveres. Falso. Fueron menos de 25.000 y, en cambio, hay que ver la paz maravillosa que flotaba a la mañana siguiente sobre los platanales.

Sin firmar un solo documento que comprometiera la independencia del país, sin acudir a un solo engaño, sin ofrecer prebendas que después iba a ser incapataz de cumplir, el gobierno había solucionado la crisis bananera.

## LA «EJEMONÍA» LIBERAL

Enrique Olaya Herrera, el primer presidente liberal del siglo XX, no había nacido propiamente en la zona bananera de Santa Marta pero sí en la tierra del mejor plátano dulce: Guateque. Por su consistencia y su tamaño, ha sido el favorito de los turpiales y los mirlos. Hablo del plátano. Por esas mismas virtudes, Olaya Herrera lo ha sido de los liberales. Era un tipo muy rubio —tanto que le decían *el Mono*—, de casi dos metros de estatura y ojos achinados, como si, en vez de ser boyacense de cepa, fuera hijo de un luchador japonés de *sumo* y una basquetbolista gringa.

Olaya presidió el primero de los cuatro períodos consecutivos (1930-1946) que sus enemigos llamaron peyorativamente «la hegemonía liberal». Mejor debió llamarse *ejemonía*, porque tuvo como *eje* al *Mono* Olaya. Observa respecto a esta época histórica Alvaro Tirado Mejía: «A partir del gobierno de Olaya, el país se conmocionó intelectualmente y se dio un tipo de gobierno participativo en el que pudieron actuar los sectores que tradicionalmente habían sido excluidos del manejo de la sociedad colombiana».

Fueron dieciséis años que le dieron un vuelco al país. Claro que, antes de que esto ocurriera, las circunstancias económicas por poco le dan un vuelco al gobierno de Olaya Herrera, porque le tocó manejar los terribles efectos de la crisis mundial del 29. El estallido de la economía internacional amenazaba con dejar en ruinas a todos los colombianos que habían contraído deudas en el exterior. El gobierno entonces se vio obligado a dictar una serie de complejas medidas que no transcribo aquí porque el lector con seguridad no las entendería, ni yo tampoco, pero que permitieron reparar las finanzas nacionales. Menciono todo esto para que tenga presente cómo el tema de la deuda seguía vigente a pesar de que don Francisco Antonio Zea llevaba casi un siglo muerto. No quiero decir que era culpa suya. Pero ¿quién fue el primero que nos metió en esta onda de andar pidiendo plata prestada?

Esta crisis internacional, sin embargo, no fue la única que le tocó a Olaya Herrera.


## Lituma en Leticia

En la mañana del 1º de septiembre de 1932 se encontraban jugando dominó los dos policías colombianos encargados de vigilar tres mil kilómetros de la frontera sur del país cuando apareció un batallón de soldados peruanos en aguas del río Amazonas. Los invasores descendieron de los buques de guerra en traje de fatiga y armados hasta los dientes y ocuparon todo el puerto.

Se acercó entonces a los dos policías un sargento que estaba a cargo de los peruanos, un tal Lituma, y preguntó dónde podía encontrar a la señora Leticia, que venía por ella. Lituma era serrano y, por lo tanto, taimado y sinuoso.

—Aquí la única Leticia es la ciudad, que se llama así— contestaron los policías, sin dejar de jugar al dominó.

—Ya lo veo —observó Lituma con el típico tacto del serrano—. ¿Entonces nuestra presencia aquí qué les sugiere?

—Nos sugiere que hay un error —respondieron los dos policías, y continuaron jugando.

—Y si les digo que ustedes están en territorio extranjero, ¿qué creen que quiero decir? —prosiguió Lituma.

Los dos policías se miraron desconcertados, pues no entendían lo que intentaba sugerirles el sargento.

—Tal vez querría decir que usted está loco —comentó uno de los policías, francamente molesto de que le interrumpieran el juego.

—Pues no —comentó Lituma, que aunque era serrano y muy taimado, acababa de perder la paciencia—. ¡Lo que quiero decir, carajo, es que esto es un asalto!

Fue así como supieron los dos policías que el Perú había invadido el territorio colombiano y que Lituma y sus hombres estaban decididos a apoderarse de un gran trozo del país. A partir de ese momento los dos agentes ofrecieron furiosa  resistencia, pese a lo cual no se les permitió terminar la partida de dominó.

Cuando la noticia se supo, siete meses después, provocó gran revuelo en la capital. El gobierno entendió que había llegado el momento de confirmar la vocación pacifista de Colombia, y mientras Lituma y sus hombres empezaban extrañas excavaciones en vecindades de Leticia, Olaya Herrera convocó a la ciudadanía a una gran cruzada jurídica internacional. Las señoras donaron sus joyas y los señores sus anillos para pagar los pasajes y viáticos de los diplomáticos colombianos que irían a librar la batalla de los artículos y los incisos en la Sociedad de Naciones, la Corte de Ginebra, la Conferencia de Rio de Janeiro y otra serie de escenarios en los que Colombia aspiraba a exponer sus derechos a la luz de los pactos, protocolos, cartas y tratados internacionales.

En tanto que todo esto ocurría en los foros jurídicos del planeta, Lituma y sus hombres se habían apoderado de la región, obligaban a los ciudadanos colombianos a decir «hubieron» cuando la gramática ordena que se diga «hubo» y proseguían las extrañas excavaciones.

El país defendió brillantemente su posición. No hubo entidad, institución o tribunal internacional que no le otorgara la razón. Pero Lituma y los suyos no se mosqueaban. Con el apoyo total del gobierno de su país, seguían de dueños de Leticia. Habían mandado izar bandera peruana en todas las escuelas y trabajaban día y noche en la remoción de tierra. Colombia invocó el *Noli me tangere* y el *Stercorem pro cerebro habes*, pero Lituma se moría de la risa de estos sagrados principios y seguía excavando.

Un día, al salir de una reunión en la Sociedad de Naciones, donde una vez más los delegados le habían otorgado la razón a Colombia y se habían ido luego a almorzar, el embajador alemán se acercó al colombiano y, mientras le entregaba una tarjeta escrita en alemán, le dijo en forma confidencial:

—Todo eso mucho bonito, Herr Botschafter, pero saquen a patadas esos carrajos peruanos y no pendehien más...

Colombia entendió entonces que había llegado el momento de la guerra. El delegado alemán le había entregado un mensaje personal para unos amigos suyos en Bogotá, y el gobierno colombiano se puso en contacto con ellos. Eran todos antiguos pilotos de la I Guerra Mundial residentes en Colombia. A la menor insinuación, todos dejaron sus disfraces de farmaceutas, fotógrafos, joyeros, panaderos y granjeros, vistieron de nuevo los atuendos de aviadores militares, armaron unos viejos aviones que tenían escondidos en sótanos, gallineros y mesas de noche y salieron en ágil escuadrilla hacia el Amazonas. Para reforzarlos por tierra, el gobierno envió al capitán Juan Lozano y Lozano, un valiente militar y autor de sonetos que eran admirados y recitados por toda la sociedad bogotana. Lozano y Lozano se negó a que lo acompañaran otros soldados, pues alegó que él solo bastaba y sobraba para derrotar a los peruanos. En realidad, lo que el muy zorro pretendía era obtener el relato exclusivo de la guerra, cosa que consiguió. Hasta la fecha, la única prueba de que hubo guerra con el Perú son los escritos de Lozano y Lozano y las huellas que dejó la contienda en el mapa de Colombia.

Apurado por los rumores de que se aproximaban aviones y tropas, el sargento Lituma aceleró los trabajos de excavación. En marzo de 1933 llegaron a Güepí tanto los aviones como el valiente capitán. Lo primero que hizo éste fue enviar a Lituma una tarjeta en que le decía: «Si es usted un caballero y no un cobarde, lo desafío a dirimir esta guerra en un duelo de sonetos. (Fdo.) Lozano y Lozano». Lituma contestó con otra nota que decía: «Me rindo: yo no puedo solo contra ustedes dos». Pensando que se enfrentaba solitario contra un par de mellizos, Lituma capituló y él y sus hombres entregaron las armas.

¡Los invasores se rendían! ¡Colombia había ganado la guerra! Así lo reconocieron todos los foros jurídicos internacionales y el propio gobierno del Perú, que firmó en 1934 un protocolo por el cual aceptaba los límites colombianos en el margen del Amazonas. El país celebró dichoso este triunfo de la razón apoyada por las armas (y, sobre todo, por los aviones). Pero cuando, años después, alguien fue a mirar el mapa del protocolo y a verificarlo en el terreno, se dio cuenta de que un pedazo gigantesco de selva había pasado a manos del Perú. No había nada qué hacer: el malvado del Lituma y sus esforzados hombres habían logrado excavar un nuevo cauce, por el cual desviaron las aguas del río Amazonas. Siguiendo los límites acordados, a Colombia no le tocaba sino un pedacito del suelo que antes tuvo.

Como ha sucedido siempre, Colombia había ganado la guerra y conseguido el aplauso internacional, pero a costa de una monumental tajada de su mapa. Desde entonces, no ha habido triunfo jurídico que no se celebre con una amputación de territorio nacional. La evolución de la cartografía colombiana lo demuestra. En 1771 la jurisdicción de lo que luego sería Colombia se extendía por el noroeste hasta Nicaragua; parte de la costa de Mosquitos que hoy es nicaragüense era colombiana. Por el sur colindaba a lo largo de muchos cientos de kilómetros con el río Amazonas.

En 1864 ya habían cambiado las cosas. Ahora la frontera sur tenía la amenaza de un amplio trozo que reclamaba el Brasil —y que al final fue suyo—, y en la de Venezuela empezaba a surgir ese cuello ortopédico que le apareció después a la península guajira. En 1890 el departamento del Cauca llegaba hasta el río Amazonas por el sur y hasta el océano Atlántico por el norte. Quince años después, ya Panamá no era colombiano. En 1934 un nuevo triunfo jurídico nos dejó apenas con un mínimo pie en el Amazonas, y después se restringió aún más la franja guajira. Ahora Nicaragua reclama el archipiélago de San Andrés y Venezuela los islotes de Los Monjes en el Caribe.

Unos pocos triunfos jurídicos más, y Nicaragua llegará hasta Mompós, Venezuela se habrá apoderado de Boyacá y ondeará la bandera del Perú en Villavicencio.

## Los mejores años del siglo

Terminada la administración Olaya vinieron dos nuevos mandatos liberales: el primer período de Alfonso López Pumarejo (1934-1938) y el de Eduardo Santos (1938-1942). Colombia era entonces apenas un poco más poblada que la Bogotá de hoy. Según el censo de 1938, había 8'700.000 colombianos.

La administración del viejo López —que entonces no era tan viejo, pues había nacido en Honda en 1886, o sea que tenía apenas 48 añitos al subir al poder—, fue bautizada como «la Revolución en Marcha». La revolución consistía simplemente en sumergir el país en el siglo XX, que ya llevaba más de un tercio recorrido y sin embargo no acababa de asomar la cabeza en Colombia. Conceptos como capital y trabajo, intervención estatal e iniciativa privada, sindicatos y empresarios saltaron de repente de los libros de los economistas y empezaron a caminar por la realidad nacional. La transformación no era más, ni era Marx, pero al Establecimiento de la época le olía a comunismo. La reforma constitucional de 1936 parecía confirmar los temores en el sentido de que se trataba de una conjura soviética: nuevos artículos conferían deberes sociales al Estado y lo facultaban para intervenir en la economía. Además, concedían tierras a colonos y campesinos, autorizaban la redistribución de predios, limitaban la propiedad privada y consagraban la libertad religiosa y la de enseñanza.

Si muchos liberales que conozco ahora hubieran vivido en aquella época, se habrían pasado al partido conservador. Muchos años después, frente a un pelotón de parlamentarios, Alfonso López Michelsen escribió la siguiente evaluación de aquel gobierno, en su calidad de hijo y de colega del jefe de la Revolución en Marcha: «La sociedad fue otra, la justicia fue otra, la universidad fue distinta, y el parlamento, en pocos años, fue un hervidero de ideas y un crisol de soluciones que todavía perduran».

Desgraciadamente, cuando lo reeligieron en 1942, López Pumarejo también era otro, como veremos más adelante.

Al terminar López su mandato, se hablaba de que volvería Olaya, porque su gobierno había gustado mucho. Pero *el Mono* falleció inesperadamente en Roma en febrero de 1937, y entonces la responsabilidad de una nueva administración liberal recayó en manos de quien había sido director y propietario de *El Tiempo* prácticamente desde su fundación, canciller de la república y cabeza visible de un importante sector del partido liberal: Eduardo Santos. Frente al impetuoso nervio transformador de López, Santos representaba una actitud más honda, desde el punto de vista humanístico, y más prudente, desde el punto de vista político. Pero, sobre todo, Santos era un modelo de *pulcritud administrativa* y *rigor ético*[1], para no hablar de sus finas dotes a la hora de testar.

Si a Olaya le correspondió manejar los efectos de la crisis del 29 y la guerra contra el Perú, a Santos le tocó lidiar con los de la II Guerra Mundial, que estalló cuando apenas llevaba un año en el poder. Santos se hallaba visitando a Boyacá el día en que se supo que las tropas de Adolfo Hitler habían invadido Polonia. Entonces pronunció su célebre frase de «somos neutrales pero no indiferentes». Se ha discutido mucho el sentido de este pronunciamiento, y hoy la mayoría de los historiadores están de acuerdo en

---

1. A aquellos lectores modernos que no hayan oído mencionar estos dos términos en los últimos cincuenta años, nos complace informarles que ambos se refieren a la conducta correcta que deben observar todo ciudadano y todo gobernante frente a los dineros públicos y el cumplimiento de las leyes. Ocasionalmente se les estudia en cursos de historia antigua.

que Santos pretendía notificar al mundo que, si bien Colombia era neutral, no permanecía indiferente. Incluso, muchos van más allá y afirman que para Santos la neutralidad colombiana no podía ni debía interpretarse como indiferencia. En realidad, el mensaje que el presidente enviaba desde el campo glorioso de Boyacá quería decir que, aunque Colombia no llegara a violar su neutralidad, Hitler acababa de violar su indiferencia.

Santos continuó la labor de sus antecesores en el campo de la educación, las comunicaciones y la economía, para dar al país los mejores años del siglo. El autor de estas líneas no quiere ahondar mucho más en la brillante obra de gobierno de Eduardo Santos, porque no puede ser neutral ante su memoria, sus enseñanzas, su figura y su ejemplo, ni lo deja indiferente su generosidad.

## Estrechando lazos

Terminado el cuatrienio de Santos, López regresó al poder. Había sido elegido por una parte mayoritaria del partido liberal, frente a un candidato que agrupaba al resto de los cachiporros y al conservatismo. Pero, como anotábamos, ya era otro.

En esta segunda ocasión, López tropezó con dificultades que ya no pudo solucionar con la frescura de otros tiempos. Ahora le gustaba viajar más veces, más lejos y más largo, con lo cual consiguieron palomitas en Palacio Carlos Lozano y Lozano y Darío Echandía. Mientras tanto, la imagen del gobierno se deterioraba y arreciaba la oposición cerrera de Laureano Gómez.

En un viaje doméstico a Pasto, en julio de 1944, un grupo de oficiales del ejército encabezado por el coronel Diógenes Gil Mujica resolvió amarrar al presidente. Nadie

sabe a ciencia cierta por qué ni para qué procedió así Gil.
Fue un típico capricho de coronel ocioso, razón por la
cual no conviene a la república el ocio del coronelato. Gil
Mujica vio un lazo en un rincón, vio al presidente en un
sillón y pensó qué pasaría si empleaba el lazo del rincón
en atar al presidente al sillón.

Para averiguarlo, procedió. Al terminar la maniobra, se
dio cuenta de que estaba metido en un lío, pero no sabía
en qué clase de lío. Más que lío, estaba metido en una
ópera bufa. Para salir de ella, Gil le pidió a López que lo
nombrara ministro de guerra, y López lo regañó hasta el
punto de que el coronel estuvo media hora haciendo pu-
cheros. Después argumentó que lo que pretendía era pro-
teger a López y su hijo Fernando, que se hallaba con él.
¿De qué? Gil no sabía. Más tarde se le ocurrió que tal
vez López podía renunciar a la presidencia para que el
golpe de Estado fuera un golpe de Estado y no una ridiculez.
Pero el presidente arguyó que faltaba papel sellado, sin el
cual la renuncia sería nula, y Gil desechó la idea. Al final,
el coronel resolvió pedir un *whisky* mientras se le ocurría
alguna vaina.

Acabado el *whisky*, «el coronel Gil —relató el presidente
en su declaración ante la comisión investigadora— se cua-
dró militarmente delante de mí, y dijo algunas palabras
que ya no recuerdo exactamente». Después entregó su arma,
fue puesto prisionero y se quedó pensando para qué era
que había dado el golpe.

El último acto de la opereta se produjo cuando el presidente, ya libre de amarras, se dirigió al municipio de
Túquerres y dio instrucciones a la telegrafista de que trans-
mitiera la noticia de que el jefe de Estado había recuperado
el control del gobierno. La muchacha así lo hizo. Pero
este momento, que debía haber sido uno de los instantes
más gloriosos y solemnes de la historia nacional, tuvo

también final de zarzuela. El Alto Mando se negó a ponerle atención a la operadora de Túquerres y le tocó al presidente viajar hasta Bogotá para que se dieran cuenta de que sí era él.

El grotesco sainete de Pasto fue, sin embargo, un síntoma de que el gobierno estaba haciendo agua. El descontento general crecía y sólo faltaba un empujoncito más para que se derrumbara la frágil administración. Ese empujón se lo dieron los negocios de Alfonso López Michelsen, cuyos opositores lo acusaron de utilizar información oficial privilegiada para beneficiarse en la compraventa de la Sociedad Holandesa N. V. Handel.

El escándalo fue el puntillazo final para el gobierno, y lo sería también para el partido liberal. El 19 de julio de 1945, un año después del pseudo-golpe de Pasto y un año antes de que terminara su período, López Pumarejo presentó renuncia irrevocable a su cargo. El Congreso voló a aceptarla y procedió a reemplazarlo por el designado, Alberto Lleras Camargo, quien en ese momento tenía 39 años, bigote y dientes de ardilla.

A las elecciones de 1946 el partido liberal acudió irremediablemente dividido entre dos jefes: Gabriel Turbay y Jorge Eliécer Gaitán. Aunque los votos de ambos sumados pasaban de 890 mil, por separado ninguno pudo superar la votación de Mariano Ospina Pérez (564.661 votos), y el partido conservador conquistó otra vez el poder.

# AQUEL TERRIBLE 9. IV. 1948

El 9 de abril de 1948 se produjo el asesinato del jefe liberal Jorge Eliécer Gaitán, hecho al que siguió un estallido popular en la capital y en otras partes del país. Aquel suceso se conoce, extrañamente, como el *bogotazo* y no como el *gaitanazo*. Trascurridos casi cincuenta años desde entonces, las versiones acerca de lo que sucedió en tal fecha se multiplican a razón de veinte o treinta nuevas cada año: son ellas las que incluye la prensa cada vez que llega un nuevo aniversario del 9 de abril. Hay gente que vive de escribir cada 9 de abril sobre lo que pasó el 9 de abril.

Lo único que se sabe a ciencia cierta sobre el famoso *bogotazo* es lo siguiente:

• Que en el momento en que alguien disparó sobre Gaitán, éste salía a almorzar acompañado de algunos amigos. El número de los mismos no se sabrá nunca: empezó con tres pero, como siguen apareciendo testigos presenciales que marchaban al lado suyo, se acercan ya a ochenta.

• Que el Presidente era Ospina Pérez. Pero quien manejó la situación —como pasa en todo hogar bien avenido— fue la Primera Dama doña Bertha Hernández.

• Que Fidel Castro se encontraba en Bogotá. Pero se ignora si organizó la revuelta, si se limitó a participar en ella, si no tuvo tiempo de hacerlo, si jamás llegó a enterarse de la pelotera porque andaba paseando por la carretera del norte, o si se trataba de otro Fidel Castro.

• Que era viernes a la una y cuarto de la tarde y sin embargo no llovía. Pero llovió después.

Todo lo demás es especulación: quién mató a Gaitán y por qué, quién lo mandó matar y por qué, cuántos muertos dejó la revuelta y por qué los dejó. Tampoco se sabe exactamente cuántos médicos operaron al herido. Como en el caso de los amigos que lo acompañaban, cada año sube el número de facultativos que atendió al moribundo Gaitán. Es difícil creer que un viernes al mediodía hubiese muchos doctores a la espera de algún herido famoso en la Clínica Central. Sin embargo, una semana después de fallecido el líder, el cronista Hernando Téllez presentaba ya una lista de ocho cirujanos en torno a la mesa de operaciones[1]. Si esto es así, la muerte de Gaitán pudo ocurrir tanto por los balazos como por sofocación en medio de la multitud de médicos.

Otro problema: tampoco se sabe bien cuál era el pensamiento de Gaitán. Unos lo tachan de fascista —debido a que estudió derecho criminal en Italia durante el auge de las ideas de Mussolini—, otros de comunista, algunos de populista, y unos más dicen que era un liberal a secas. A la hora de reclamar en elecciones el «legado intelectual» de la ilustre víctima, sin embargo, acuden todos los partidos.

---

1. Doctores Cruz, Trebert Orozco, Forero Nougués, Bernett y Córdoba (uno solo), Arango Sanín, Chaparro, Bonilla Naar y Trías Pujol.

Gaitán era famoso abogado y orador de esos que llaman «fogosos». Cada vez que veía una butaca, una caja de cerveza o un baúl, se encaramaba en él, levantaba el codo derecho a la altura de la cara, erguía el índice y soltaba un discurso. En éste criticaba a la *oligazzquía*, gritaba «¡a la *cazzga!*», e *invitaba a la zzevolución*. Dicen que esta forma de dicción denunciaba un vago acento italiano; de ser verdad, lo habría adquirido en una región de Italia donde abundaban los chinos bogotanos, porque ejercitaba el arrastre de las erres y el golpe de las sílabas como sólo lo hacen los cachacos de La Perse, bazzio en el que había nacido el caudillo.

El dejo popular le costó en su momento la negativa del Jockey Club a recibirlo entre sus socios. Cuando presentó solicitud de admisión, Gaitán indicó a la junta directiva que para él sería un honor ingresar al «jóquei clú», con lo cual le echaron de inmediato bola negra.

En un comienzo, la noticia del asesinato de Gaitán se regó como pólvora; después la pólvora se regó como noticia, y vino el gran incendio de la capital. La muerte del jefe ocurrió a la 1:55 p.m. y a las 2:34 ardía *sólo* media ciudad, lo cual muestra el proverbial civismo de los bogotanos. A las 3:11 empezaron a llegar en tranvías al Palacio de Justicia miles de personas que tenían cuentas pendientes con jueces y tribunales. A las 3:23 ardían los expedientes; a las 3:37 ardía el Palacio de Justicia; a las 3:42 ardían los tranvías. Después siguieron ardiendo, en estricto orden alfabético, Almacenes, Bodegas, Carros, Depósitos, Edificios, Fábricas, Garajes, Hoteles, Iglesias, Joyerías... hasta llegar a Zalamea Hermanos, que fue lo último que se quemó.

A todas estas, la situación política se deterioraba por instantes. El asesino, Juan Roa Sierra, había sido muerto, según la autopsia, «a consecuencia de golpes propinados

A. GAITÁN

SIN CUYO VALIOSO
APORTE NO SE
HUBIERAN PODIDO
INVENTAR LAS
INVESTIGACIONES
EXHAUSTIVAS

con instrumento contundente dedicado a la extracción de brillo del calzado»; léase, cajazos de embolar. La policía se negaba a atacar a la población civil y, antes bien, se había unido a ella en los desmanes. Todos temían por el régimen: unos temían que fuera derrocado y otros temían, peor aún, que continuara. Los asistentes a la Conferencia Panamericana, que a la sazón se reunía en Bogotá, empezaron a pensar que las cosas que se publicaban en el exterior sobre la inseguridad en el país no eran solamente mala prensa.

Exactamente a las 5:17 p.m. varios agitadores profesionales —es decir, aquellos que tenían diploma, cobraban honorarios y estaban autorizados legalmente para agitar— dieron el grito que invitaba a subvertir el orden institucional:

—¡A Palacio!

Por fortuna para el gobierno, cada grupo de revoltosos entendió el grito a su manera. Unos asaltaron el Palacio de las Lámparas, en la carrera sexta con calle trece; otros el Palacio del Deporte, contiguo al Teatro Municipal; otros asaltaron A. Palacio e Hijos Sastrería, allá en la calle catorce, «donde cada traje es una obra maestra...»

La verdad es que el pueblo empezó pidiendo venganza, y acabó pidiendo electrodomésticos. Había que ver el entusiasmo de los habitantes de los barrios pobres cuando asaltaban almacenes en el centro y luego emprendían el camino de regreso a casa, generalmente en subida, con un escritorio al hombro o una nevera a cuestas. Ahí fue cuando más lamentaron el incendio del tranvía. Aún hoy es posible encontrar, en algunos tugurios de las laderas orientales, modestas casas equipadas con frigoríficos y neveras robadas el 9 de abril. Están como nuevas, esperando a que algún día llegue la luz al barrio y puedan por fin estrenarlas.

Las mujeres del pueblo también participaron en el alzamiento popular, pues se alzaron con bienes que antes estaban reservados a las otras mujeres. Se dice, por ejemplo, que las marchantas de la plaza de La Concordia tenían vistas ya las pieles que les gustaría agarrar el Día de la Revolución, porque aquel viernes tardaron pocos segundos en violentar las puertas, penetrar a las peleterías y encasquetarse finísimos tapados de visón, zorro o nutria. Ni una sola marchanta devolvió después una piel porque le quedara pequeña, ni intentó cambiarla por otra que se ajustara más al color de su pelo. Todo ello confirmaba —según el gobierno— que el golpe estaba planeado.

Pasados unos meses de la tumultuosa semana, abrió la Academia de Historia un concurso de frases memorables que debieron haber sido pronunciadas durante el crítico episodio. En la categoría femenina se impuso la máxima «Es mejor un presidente muerto que un presidente fugitivo», enviada por B. H. de Ospina, de Fusagasugá, Cundinamarca. En la categoría masculina resultó ganadora la frase «¿El poder para qué?», de D. Echandía, de Chaparral, Tolima.

Evidentemente, la capacidad de dejar grandes pronunciamientos históricos también quedó chamuscada aquel 9 de abril.

## MÁS VIOLENCIA QUE EN LA TV

Cuando se enfriaron las cenizas del 9 de abril, el incendio se extendió a los campos. Vino una época tan violenta, pero tan violenta, que en la larga historia de la violencia colombiana se la conoce como *La Violencia*. Cómo será, que no se ha llevado a la televisión por violenta. Básicamente era una violencia que imperaba en las zonas rurales, pero que tenía ocasionales manifestaciones en la ciudad. Entre 1948 y 1953 fueron incendiadas las sedes de *El Tiempo* y *El Espectador*, y las casas de los dirigentes liberales Carlos Lleras Restrepo y Alfonso López Pumarejo. En Cali se produjo una matanza en la Casa Liberal que dejó cerca de 25 muertos y 70 heridos.

En ciertos lugares del país empezaban a destacarse por su vehemencia política algunos militares. En Cali, por ejemplo, se hizo famoso el coronel Gustavo Rojas Pinilla, que debutó en 1949 con un comunicado de censura a discursos: si los soldados consideraban que cualquier orador, en cualquier plaza, estaba faltándole al respeto al gobierno, podían detenerlo. Rojas era entonces, según el juez que lo investigó por abuso de autoridad, «un tipo bonachón, ingenuo, que no era godo sino godísimo, y tenía excelente puntería con el fusil». Cosa, esta última, que intranquilizaba aún más a los oradores.

Ante el avance de la represión, algunos jefes liberales tuvieron que marcharse al exilio. Otros organizaron un grupo de resistencia en los Llanos. Los que tenían mejor voz, como Germán Zea y Alvaro García Herrera, tomaban cursos de locución con Alberto Lleras Camargo y luego fundaban emisoras clandestinas.

En fin, que, salvo lo de las emisoras, Colombia parecía el actual Bogotá nocturno.

El gobierno de Mariano Ospina terminó al filo del medio siglo como pudo: venía renqueando desde el 9 de abril. En las elecciones de ese año no participó el partido liberal, que adujo falta de garantías. Y subió al poder Laureano Gómez, aquel temible orador que había tumbado a Marco Fidel Suárez y se había convertido en el flagelo de los funcionarios indelicados, en el Coco de los liberales y en el Júpiter tonante de las ideas derechistas y católicas. De la mano suya subía también el Coco Junior, Alvaro Gómez Hurtado, heredero de casi todas las virtudes, casi todos los defectos y todos los títulos del taita, salvo el de ingeniero: Alvaro era abogado de la Universidad Javeriana, que ha producido dos presidentes de la república —Misael Pastrana y Ernesto Samper— y no pocos candidatos, como Luis Carlos Galán, Gabriel Melo Guevara y Rodrigo Lloreda. También excelentes historiadores, cuyos nombres omitiré porque los buenos javerianos nos distinguimos, entre otras cosas, por la humildad.

## Cuando las coca-colas bailaban

Los tiempos eran duros en política, pero en cambio muy chéveres en otros órdenes. Dicen que lo segundo servía de fachada para esconder lo primero. El fútbol gozaba de su mejor momento, la época llamada de *Eldorado*, cuando desembarcaron en Colombia famosos jugadores argentinos, ingleses y uruguayos. Algunos de ellos, como Alfredo Di Stéfano y Adolfo Pedernera, eran considerados dioses por la afición. Y algo de dioses debían de tener porque hicieron un milagro increíble: agarraron un equipo de sonido llamado Millonarios y lo convirtieron, durante varios años, en campeón colombiano. Idos los mitos, el modesto equipo volvió al apocado lugar que le corresponde. El primer campeón nacional de la historia fue Independiente Santa Fe, aquel respetabilísimo conjunto blanco y rojo del cual se oye hablar en todos los rincones del mundo. Aunque debo aceptar que no siempre en forma elogiosa.

Era tal el auge del fútbol en aquellos años que de sábado a domingo la gente dormía a las puertas de El Campín, pues los buenos aficionados querían coger los mejores puestos cuando abrieran la taquilla al día siguiente. Al principio roncaban tirados en el suelo sobre periódicos; pero, asqueados por la censura de prensa vigente, pronto prefirieron llevar colchones. En víspera de los clásicos se veía en las aceras catres viajeros, cujas portátiles, camas dobles estilo Cavendish, *sommiers* de doble resorte con refuerzo en las esquinas, mesitas de noche, tapetes pie-de-cama y hasta bacinillas de loza. El ambiente era tan agradable que muchos de los que hacían cola y dormían a la intemperie odiaban el fútbol y se marchaban a su casa el domingo en la mañana.

Fue también una época taurina. Aunque Manolete había muerto en 1947, todas las figuras de moda pasaban por la Plaza de Santamaría. Abundaban los matadores legendarios, como Julio Aparicio, Miguel Báez —Litri—, Pedrés, Chamaco y Chicuelo II, y las rejoneadoras despampanantes, como Conchita Cintrón. Los aficionados locales vivían en la gloria. Un joven redactor de *El Tiempo* llamado Hernando Santos almorzaba con todos los toreros y se enamoraba de todas las rejoneadoras. Según sus propias palabras, le faltó poco para enamorarse también de Luis Miguel Domínguín, que era el gran ídolo de la época.

Estaban de moda, entre los coca-colos, los mocasines carmelitos con medias blancas, y, entre las coca-colas, las medias blancas con mocasines carmelitos. Ellos usaban el pelo estilo cepillo y ellas cola de caballo. Se bailaba la música tropical de Don Américo y sus Caribes y los porros de Lucho Bermúdez. El merecumbé estaba a punto de salir del huevo, y el Cinerama se salía del telón. Faltaban pocos años para que estallara el rock-and-roll y se salieran de madre los coca-colos.

El verdadero gobierno de Laureano Gómez no duró mucho pues, como se dijo, a los quince meses sufrió un derrame cerebral; otros afirman que fue un ataque al corazón; no soy médico para saber quién tiene la razón. Esta circunstancia condujo al despacho presidencial a Roberto Urdaneta Arbeláez, un distinguido bogotano que tenía problemas de oído, lo cual le impedía escuchar las quejas de la oposición, que denunciaba ser víctima de persecuciones cada vez más serias.

A pesar de todo, los jefes de los dos partidos, cuyos militantes se enfrentaban a machete en las veredas, seguían compartiendo sus ratos de esparcimiento. Jugaban juntos al golf en el Country, compartían whisky en el Jockey, almorzaban codo a codo en el Gun. Por eso lo que realmente se consideró una declaratoria de guerra civil fue cierta instrucción de Carlos Lleras Restrepo a sus copartidarios por la cual les prohibía volver a dar la mano a los conservadores. Semejante orden provocó un escándalo. ¿Dejar de saludar a los del partido contrario, incluso en el baño turco del club? ¡Qué exceso! Bueno era culantro —50.000 muertos anuales en un país de 15 millones de habitantes—, pero no tanto...

La extraña mezcla de violencia, auge deportivo y vida social produjo consecuencias curiosas. Por ejemplo, terminaron pareciéndose los apodos de los bandoleros, los matadores y los *clubmen*. Sobra decir que el parecido se limitaba por lo general a los apodos, pero había excepciones: bandoleros que cortaban orejas, diestros que asesinaban al pobre toro con sevicia digna de bandidos, y hombres de club que, según las señoras, estaban «matadores». Algunos motes, incluso, correspondían a los tres oficios. *El conejo*, por ejemplo, era un célebre bandolero; pero también un banderillero famoso; y, además, un simpático socio del Gun.

Para que se lleven una idea de la cosas, la siguiente lista contiene treinta nombres. Diez son bandidos, diez son toreros y diez son personajes del Gun y del Jockey. El lector debe tratar de adivinar quién es quién, y consultar luego la tabla de aciertos:

| | |
|---|---|
| Canelo | Minuto |
| El Mosco | El Orejón |
| Zarpazo | Paredón |
| Bocadillo | Desquite |
| El Bombero | El Chinche |
| Despiste | Cacheta |
| El Piojo | Peligro |
| Sentimientos | El Neno |
| Fortuna | Tragabuches |
| Malasombra | Bocanegra |

| | |
|---|---|
| El Gordito | El Barbero |
| Rigores | Nobleza |
| Murmullo | El Estudiante |
| El Tuso | El Mico |
| El Gago | El Chuzo[1] |

## Adiós al «Viejo Pendejo»

En junio de 1953 la situación del país era intolerable. La violencia aumentaba; el gobierno usaba como extensiones represivas a siniestros personajes y grupos medio bárbaros como los llamados chulavitas[2]; pendía sobre las cabezas de los ciudadanos el frustrado proyecto de una Constitución fascista; los derechos humanos estaban reducidos a un mínimo: dormir, ir al baño, tomarse un tinto después del almuerzo; la prensa padecía censura; Laureano seguía postrado, pero desde su silla daba instrucciones; Urdaneta mandaba a su manera; Alvaro Gómez cogobernaba; determinados jerarcas de la Iglesia, como monseñor Miguel Angel Builes, proclamaban una cruzada contra los cachiporros. Ni los más leales ministros habrían apostado un paquete de cigarrillos a que el gobierno lograba terminar su cuatrienio. Tenían razón: lo habrían perdido.

---

1. *Toreros*: Canelo, Sentimientos, Fortuna, El Gordito, Rigores, Minuto, Tragabuches, Bocanegra, El Barbero, Cacheta.
   *Clubmen*: Bocadillo, El Piojo, Murmullo, El Gago, El Orejón, El Neno, Paredón, El Chinche, El Mico, El Chuzo.
   *Bandoleros*: El Mosco, Zarpazo, El Bombero, Despiste, Malasombra, El Tuso, Desquite, Peligro, Nobleza, El Estudiante.
2. Por una extraña paradoja, la violencia conservaba cierta lógica digna de la ornitología: «El Cóndor» era el jefe de los *pájaros*.

Entre tanto, empezaba a perfilarse poco a poco la figura de un militar como posible salvador de la patria[1]. Se trataba de Rojas Pinilla, aquel coronel «godísimo y bonachón» con un tino sorprendente en el tiro de fusil. Para entonces, el coronel de 1949 había obtenido un grado de ingeniería en Estados Unidos, sabía conjugar aceptablemente algunos verbos en inglés y era ya teniente general y comandante de las fuerzas armadas. Laureano presentía que ese hombre era el que podría catalizar a todos los que querían poner fin al período antes de que terminara constitucionalmente.

No estaba equivocado. El 13 de junio se produjo el golpe. Laureano entendió que el presidente encargado estaba dispuesto a participar en la maniobra, así que a las 10:05 a.m. se apareció en Palacio y exigió a Urdaneta que destituyera a Rojas. Urdaneta se negó a hacerlo. Laureano asumió de nuevo la presidencia, echó a Urdaneta, echó a Rojas Pinilla y al final se echó a sí mismo. En efecto, a las 4:20 p.m. el ejército, con Rojas a la cabeza, se había tomado el poder y Laureano y familia hacían maletas para viajar a España. Reinaba beneplácito colectivo, a excepción de Laureano, su hijo Alvaro y monseñor Builes.

Dicen al respecto Silvia Galvis y Alberto Donadío en su libro *El Jefe supremo: Rojas Pinilla en La Violencia y el poder*: «Laureano Gómez fue el hombre que quiso tener el grado de poder más absoluto conocido en Colombia. Fue él quien empujó al país a una dictadura de pesadilla y a una terrible guerra civil».

---

1. Se trata de un típico síndrome de desesperación consistente en escoger un remedio militar peor que la enfermedad civil. Por la misma época florecían «salvadores uniformados» en Venezuela, República Dominicana, Argentina, Nicaragua, Haití, Paraguay. Todos fueron echados a patadas. O aún peor.

Rojas Pinilla estaba molesto porque le habían dañado un baño de asiento en río, que era, después del ganado, lo que más le gustaba en la vida. El teniente general tenía una finca en Melgar, su paraíso personal, donde el 13 de junio lo sorprendió la corazonada de que iba a ser presidente de la república. El lo relató así:

Me fui a Melgar y di orden de que, si pasaba algo en Bogotá, un avión diera tres vueltas sobre la finca mía en melgar y me esperara en flandes.

Me estaba bañando y le dije a Carola:

«Salgamos ya, porque el avión salió de Bogotá y tenemos que irnos». Salí, almorzamos, nos preparamos y, evidentemente, llegó el avión, un DC-3, y dio las tres vueltas. Yo tengo un sexto sentido para las cosas[1]. Cuando salí de Melgar puse el radio y ahí decían que había tomado posesión Laureano, que me habían dado de baja; solté la risa y dije: «¡Viejo pendejo!»

Esa tarde, Rojas ocupó ya la silla presidencial, que en menos de siete horas alcanzó a alojar tres de los traseros más importantes del país. Su primer decreto asignaba tres mil dólares mensuales de sueldo a los expresidentes en el exterior: «Ningún embajador ganaba esa vaina, y dicen que exilié a Laureano para que se muriera de hambre».

---

1. Desde aquel día los parapsicólogos estudian las aguas del río Sumapaz, en la esperanza de saber cuál es el ingrediente que permite a la gente adquirir un sexto sentido de las cosas. Abandonarían su investigación si supieran que el río no le avisó nada a Rojas cuando lo derrocaron casi cuatro años después. Muchos también se preguntan si el avión, en caso de no haber sido un DC-3 sino un DC-4, habría dado cuatro vueltas en vez de tres y habría cambiado la historia de Colombia.

El segundo decreto dispuso la manera como deberían dirigirse de ahora en adelante los colombianos al referirse a quien ocupaba la silla del primer magistrado: «Su Excelencia Teniente General Jefe Supremo Gustavo Rojas Pinilla, Presidente de Colombia». Cables: GURROPÍN.

## TENIENTE SUPREMO, JEFE GENERAL

El ascenso al poder de Su Excelencia Teniente General Jefe Supremo Gustavo Rojas Pinilla Presidente de Colombia —en fin: de GURROPÍN— ofreció un respiro a la violencia que devoraba el país. Los guerrilleros liberales de los Llanos entregaron las armas —y después los fueron matando por ahí, uno a uno—, se levantó la censura de prensa y los partidos se reunieron en torno al Segundo Libertador, como llegaron a llamarlo.

La imagen de Rojas Pinilla en los primeros meses era la de un ídolo cinematográfico, hagan de cuenta el Hombre Araña o el Rey León. Su cara mofletuda, enmarcada por charreteras y pendones tricolores, aparecía en espejos de bolsillo, calcomanías, llaveros, jarras, vajillas, relojes, revistas y almanaques. Si no se fabricó el *Rojas Barbie* fue porque existía el temor de que los capitanes y coroneles se pusieran a jugar con muñecos, cosa que habría menoscabado la dignidad del binomio Pueblo-Fuerzas Armadas, lanzado por el nuevo gobierno.

Se pusieron de moda los baños en río (Rojas los tomaba), las fincas en tierra caliente (Rojas tenía una), los boyacenses (Rojas lo era) y las serenatas al Jefe Supremo (cuando escuchaba bambucos en la noche, Rojas encendía la luz y salía al balcón en bata morada). El teniente general estaba encantado con su «misión temporal pacificadora y reconciliadora» al frente del gobierno, y no lo estaba haciendo mal, a decir verdad. Si realmente se hubiera limitado a esa misión temporal pacificadora, habría pasado a la historia. La prensa lo elogiaba sin medida, la clase dirigente le ofrecía cocteles y saraos, el pueblo lo quería.

Mientras tanto, a él lo que más contento lo tenía es que, a medida que se consolidaba en el poder, aumentaba el tamaño de su hato. Ya hemos dicho que la ganadería era su verdadera pasión, y no faltaban los que le regalaban una vaquita acá, otra vaquita allá, o las que él negociaba en términos muy favorables.

La luna de miel duró varios meses y alcanzó su mayor orgasmo el 13 de junio de 1954, cuando fue inaugurada la televisión. Era una ocasión más para exhibir el perfil glorioso del jefe del Estado, cuya efigie aparecía ahora a partir de las seis de la tarde en TV, custodiada por la sombra de Bolívar y animada por el Himno Nacional. Cada vez que acababa un programa y se iniciaba otro, se turnaban para salir Rojas Pinilla y el Gato Félix. Esto empezó a producir cierto deterioro en la imagen del presidente, pues la gente se divertía mucho más con el Gato Félix.

La televisión llegaba poco a poco, en blanco y negro, y a través de un plan de televisores tan rudimentarios como cajas de bocadillos que vendía el Banco Popular. Desde el primer día de emisiones ya estaban allí los que iban a convertirla en un gran negocio y una fuente de sueños y personajes:

• Pacheco era un niño flaco y con ojos tristes de perro labrador, pero lucía un poblado bigote y cantaba «Yo teno ya la cashita que tanto te pometí». Se estaba preparando para hacer la primera comunión encaramado en un globo y disfrazado de oso polar, en un programa que iba a ser transmitido en directo a todo el país.

• Bernardo Romero Pereiro, de sólo tres meses, aparecía empelotico dentro de una canasta en una obra de teatro dirigida por su padre, el maestro Bernardo Romero Lozano.

• Alicia del Carpio inauguraba las comedias nacionales con «Yo y tú», que en la versión bogotana se llamaba «Yo y usté» y en la antioqueña «Vos y yo».

• En un esfuerzo por salvar el alma negra de los colombianos, Dios se había atrevido a licitar un minuto de programación, y el Jefe Supremo se lo había concedido «por tratarse de un colega». En ese espacio se dio a conocer Rafael García-Herreros, un cura joven y cejijunto que repartía oraciones, mercados y regaños. Después, Dios hizo un milagro para que en el minuto cupieran 300 segundos, y el *telepadre* tuvo entonces tiempo para repartir casas y mediar en conflictos de orden público.

• Caracterizándose a sí mismo, el *Gordo* Benjumea despertaba risa en los espectadores y preocupación en los dietistas.

• Gloria Valencia de Castaño era casi tan joven y atractiva como ahora, y animaba un programa llamado «El lápiz mágico». Observando todas las semanas los programas del *Gordo* Benjumea y «El lápiz mágico», un muchacho llamado Fernando Botero aprendió a dibujar.

Desde la media de seda, no llegaba a los hogares colombianos nada tan fascinante como la televisión. Los primeros héroes fueron Cisco Kid, Perry Mason, Boston Blackie y Alan Duguet. Los segundos fueron los televidentes, que en 1955 ya empezaban a aburrirse con la megalomanía del Jefe Supremo y su constante aparición en las pantallas.

Pero todo se compensaba porque Colombia tenía uno de los mejores ciclistas del mundo, Ramón Hoyos Vallejo; un cardenal que dizque sonaba para Papa, Crisanto Luque; y la mujer más bonita de la galaxia: Luz Marina Zuluaga, Miss Universo.

## No llores por mí, Colombia

Mientras tanto, habían empezado a ocurrir algunas novedades en el panorama nacional que daban mala espina sobre el Segundo Libertador. Un maldito 8 de junio, el de 1954, cinco días antes de que la Televisora Nacional emitiera su primera señal, miembros de la policía habían dado muerte a un estudiante de la Universidad Nacional, y al día siguiente soldados del ejército se habían cargado a otros ocho. De todo ello le echaron la culpa al comunismo, y los dos partidos ratificaron su apoyo al Jefe Supremo. Este, para mostrar su cariño a la Universidad, nombró un coronel como rector.

Exactamente a los doce meses, el fatídico 8 de junio de 1955, el ejército bombardeó con una sustancia incendiaria e inhumana llamada napalm a grupos de exguerrilleros, bandoleros y campesinos en el oriente del Tolima. Era un anticipo de Vietnam y *Apocalipsis Now* por el cual, afortunadamente, nadie nos ha dado crédito.

Dos años después de haber entrado al Palacio de los Presidentes en medio de gloria inmarcesible y júbilo inmortal, Rojas estaba ya en pleno surco de dolores. El comportamiento de la Primera Familia del país era objeto de burlas y sonrojos. Se criticaba que Samuel Moreno Díaz, yerno del Jefe Supremo, dirigiera un periódico de alabanzas y que María Eugenia Rojas Correa intentara convertirse en una nueva Evita Perón, quizás para tener ópera propia:

> No llores por mí, Colombia,
> mi alma está contigo,
> mi vida entera te dedico,
> mas no te alejes, te necesito.

En agosto de 1955 fue clausurado *El Tiempo* por negarse a publicar como suyo un comentario redactado en Palacio con pésima ortografía y gramática indecente. Y en agosto del año siguiente corrió igual suerte *El Espectador*, al que pretendió el gobierno enredar en una trampa de impuestos[1]. Sobre los demás periódicos y emisoras el gobierno mantuvo una estricta censura. Por ejemplo: quedaba prohibido mencionar a cualquiera de los siguientes nombres, aunque ganaran el Premio Nobel de química o se casaran con la reina de Inglaterra: Alberto Lleras Camargo, Juan Lozano y Lozano, Luis Eduardo Nieto Caballero y León de Greiff. El día de la boda de la hija de Lleras, el lector se llevó la impresión de que la novia era huérfana de padre. Y, en cuanto al famoso «Relato de Sergio Stepansky», dejó de pertenecer a León de Greiff y pasó a ser de «poeta sueco anónimo».

Corrían historias espeluznantes sobre el auge de la corrupción administrativa. Que habían vendido el Capitolio... No, peor aún: que lo habían vestido con letreros luminosos de neón... Que por el río Sumapaz, donde estaba «la piscinita que Dios me dio», iba a trazarse un nuevo canal interoceánico... Que Rojas había comprado el Buey Apis y la Vaca que Ríe... Que el ministro Lucio Pabón Núñez, al no tener más periódicos que cerrar, había mandado clausurar el Diario de Ana Frank...

---

1. No tardarían en reaparecer ambos con nuevos nombres que constituían, en sí mismos, demoledores editoriales: *Intermedio (El Tiempo)* y *El Independiente (El Espectador)*.

El momento más crítico para el gobierno frente a la opinión pública y a la cría de bovinos se produjo, como tenía que pasar, por un asunto de ganado. El 29 de enero de 1956 tuvo lugar una corrida de toros en la Plaza de Santamaría, de Bogotá, durante la cual fue ovacionado Alberto Lleras, aunque no estaba en el cartel por tratarse del jefe de la resistencia al gobierno, y abucheados María Eugenia Rojas y su esposo. Lo peor había sido que, cuando un matador tuvo la deferencia de brindar un toro a la hija del presidente, le gritaron desde los tendidos:

—¡No se lo ofrezca, que se lo lleva pa' Melgar...!

Al ser informado del incidente, Rojas Pinilla se indignó: no había derecho a que el público, en vez de comentar el trapío y características de los toros, en vez de establecer si eran meanos, albahíos, calceteros, arromerados o burracos, y en vez de determinar si se trataba de brochos, cornalones, acapachados o bizcos, se pusiera a mirar quién acudía a la corrida y quién no. Esa era una frivolidad inaceptable en una afición seria y una falta de respeto a los cánones de la fiesta brava.

Fue así como el Jefe Supremo dispuso que el domingo siguiente acudieran 1.500 críticos taurinos disfrazados de policías y detectives, para orientar en debida forma a los tendidos.

Así ocurrió. Tan pronto como el público empezó a aplaudir la llegada de Alberto Lleras, los críticos comenzaron a apalear a los intonsos espectadores, arrojarlos de lo más alto de la plaza al callejón —para que vieran la corrida desde cerca—, y promoverlos de puesto: muchos que habían comparado fila 26 de sol fueron conducidos a patadas o por las mechas a una contrabarrera de sombra.

Sin saber a qué horas, había en la enfermería un número de muertos y heridos. ¿Cuántos? Todavía no se sabe. La embajada de Estados Unidos dijo que dos; *El Independiente*, que ninguno; la prensa antioqueña, que nue-

ve; una hoja volante anónima, que 37; la jerarquía católica, que veinte; un torero español, que 18.

Lo único comprobado es que en el anfiteatro de la plaza aparecieron los cadáveres horriblemente mutilados de seis toros, pues los diestros Dámaso Gómez, Chicuelo II y César Girón habían toreado la corrida de su vida y habían cortado decenas de orejas y rabos. Sin embargo, hasta los más circunspectos taurinos —Antonio Caballero, por ejemplo, que acudía como pajecito de la Señorita Colombia porque «era divino cuando chiquito»—, coincidían en una cosa: esa tarde habían sobrado matadores.

## Coja juicio

A partir de entonces el gobierno entró en barrena. Alberto Lleras se marchó a España en busca de su antiguo enemigo, Laureano Gómez, y allí pactaron una fórmula de convivencia y repartición que luego iba a realizarse en el Frente Nacional. Rojas quiso quedarse unos años más —veinte o treinta— por medio de una Asamblea Nacional Constituyente, pero ya la dictadura había entrado en barrena. El 10 de mayo de 1957, después de unas jornadas en que se detuvo el país entero y en que la fuerza pública mató a varios estudiantes más, Rojas Pinilla se marchó para España con su familia.

Cinco militares quedaban encargados de gobernar y convocar un plebiscito para modificar la Constitución. En él, las mujeres votaron por primera vez, 167 años después del grito de independencia[1].

---

1. En realidad, Rojas Pinilla les había reconocido el voto unos meses antes. Pero, como estaban prohibidas las elecciones, ello equivalía a regalarle gafas bifocales a un ciego.

El ex Excelentísimo Señor Presidente Teniente General Jefe Supremo fue juzgado por el Senado de la República unos años después. Mientras estuvo detenido a órdenes de la corporación en un hotel de lujo demostró que cuando se ponía nervioso comía mucho. En pocas semanas se despachó 14 vacas, 1.896 huevos, dos toneladas de pan francés, 831 litros de leche, 1.409 kilos de fríjoles, un troj[1] de maíz y seis camionados de papa tocana. Si el juicio no termina pronto, se habría quebrado el erario.

Primero fueron 158 denuncias, después 55 y al final lo encausaron por diez cargos. Rojas se defendió como pudo y afirmó, entre otras frases que se volvieron antológicas: «El país no ha tenido un presidente más honrado que yo». Al final lo condenaron por haber pedido plata prestada por teléfono para su familia a un banco oficial, haber ordenado la libertad de unos *pájaros* detenidos y haber dispuesto la entrega de un ganado de contrabando. Las vacas, siempre las vacas...

Cuando terminó el proceso, fue declarado indigno y despojado a perpetuidad de sus derechos a elegir y ser elegido. Era, pues, un cadáver político, «muerto, enterrado y fétido», como dicen las señoras. Esos típicos cadáveres que en Colombia son capaces de levantarse, echarse a andar y ganar unas elecciones, como ocurriría unos años más tarde.

---

1. Esta es la última de las cinco palabras castellanas terminadas en jota. ¿Recuerda las otras cuatro? Si no, vaya otra vez al comienzo del libro. Lo recomendamos, muy a nuestro pesar.

## HOY YO, MAÑANA TÚ

El plebiscito de 1958 fue como si, para evitar la violencia en los estadios, Santa Fe y Millonarios acordaran que, sin tener en cuenta la calidad futbolística de cada rival, cada domingo ganaría uno distinto, por riguroso turno, y que el número total de goles del año se repartiría en cuotas iguales.

La alternación presidencial introducida a la Constitución por medio del referéndum establecía que, durante dieciséis años, el país sería gobernado sucesivamente por un liberal, un conservador, otro liberal y otro conservador. La paridad política contemplaba la repartición igualitaria de los puestos públicos y curules en corporaciones electivas. Una tercera norma proscribía la existencia de cualesquiera otros partidos, con lo cual no podía haber más ganadores que Millonarios y Santa Fe.

Los resultados de la fórmula fueron previsibles. Si bien los hinchas dejaron de pelearse por culpa de lo que pasaba en la cancha, ya que los marcadores estaban pactados, la

gente se alejó de los estadios. Se había perdido el ingrediente de expectativa y combate que hace atractivos tanto
a la política como al fútbol. Por otra parte, los rivales ya
no se esmeraron por vigilar la limpieza del juego. Si estaban
proscritos otros equipos, y si existía acuerdo previo acerca
del número de goles y de las victorias turnadas, ¿para qué
preocuparse en caso de que algún gol fuese anotado con
la mano, o en fuera de lugar? ¿Qué importaba que algunos
partidos duraran un poco más o un poco menos, si la
tribuna ya sabía lo que iba a ocurrir? En última instancia:
¿para qué contratar un árbitro, cuando el juego estaba
arreglado de antemano con el visto bueno del respetable
público?

Así, la fiscalización decayó, los partidos políticos dejaron de vigilarse el uno al otro, y, con el tiempo, la
ausencia de árbitro degeneró en que algunos jugadores se
llevaban parte de la taquilla a su casa, otros vendían las
camisetas y, en cambio, el precio de las boletas siempre
iba en alza. Al cabo de los dieciséis años, los partidos
políticos tradicionales se dieron cuenta de que se les había
ido la mano en la receta: a la nueva generación simplemente
ya no le importaba el fútbol. Y aquellos que eran aficionados al deporte preferían unos equipos distintos a esos
dos que ofrecían el mismo espectáculo aburridor todos los
domingos. Aunque los demás equipos estuvieran prohibidos.

De este modo, el Frente Nacional logró su principal
cometido: aplacar los odios partidistas. Pero produjo a la
larga lo que llaman «desgreño administrativo» —es decir,
que la administración llevaba el pelo largo y revuelto—,
corrupción, indiferencia electoral y desinterés de los jóvenes por la administración pública. El fútbol, en suma,
ya sólo les llamaba la atención a los futbolistas.

## EL PRE

El primer presidente del Frente Nacional fue Alberto Lleras Camargo, aquel joven periodista que había reemplazado a Alfonso López Pumarejo cuando éste renunció en 1945. El nuevo jefe del Estado era lo contrario del depuesto Rojas Pinilla: liberal, orador elegante, figura muy conocida en el exterior[1], civilista, intelectual, brillante escritor y poco aficionado a las fincas de tierra caliente, los ríos con pozo y el ganado. Su pasión, por el contrario, era un deporte tan urbano como el golf, hasta el punto de que, en tiempos de la dictadura, fue víctima de un lejano atentado a tiros en el hoyo 12 que, por fortuna, no consiguió su objetivo. Lleras acabó esa tarde con un dos bajo par, considerado bastante bueno en tales circunstancias.

---

1. Había sido secretario general de la OEA, en tiempos en que sólo viajaban a vivir en Washington el funcionario y su familia, y no un completo grupo de amigos, colaboradores y consejeros.

Lo primero que hizo el nuevo mandatario al posesionarse en 1958 fue desmontar los oropeles presidenciales heredados del gobierno de Rojas. Había llegado la austeridad republicana. Hasta la banda tricolor que ciñó aquel día alrededor del magro pecho era más delgada y discreta que el fajononón que se terciaba su antecesor. Lleras Camargo desterró aquello de Excelentísimo Señor Presidente Teniente General Jefe Supremo. En adelante, el hombre que mandaba desde el Palacio de San Carlos iba a tener como único título el de Señor Presidente. Incluso, en un alarde aún mayor de austeridad, exigió a sus amigos que ni siquiera lo llamaran Presidente —le parecía que más de tres sílabas era pompa— sino que se dirigieran a él como *el Pre*.

El primer gobierno del Frente Nacional vio resurgir las libertades públicas y consolidarse el espíritu civil. Sin embargo, por cuidar las primeras y apuntalar el segundo, se descuidaron algunos aspectos de la economía y el orden público. El desempleo aumentaba: los censores de prensa, por ejemplo, habían quedado en la calle, y aquel coronel que fue rector de la Universidad Nacional ni siquiera conseguía cupo como alumno de secundaria. Al mismo tiempo, empezaba a surgir una nueva modalidad de violencia: las guerrillas comunistas.

Alentados por el triunfo de un grupo de jóvenes barbudos que se habían tomado el poder en Cuba el primer día de 1959, algunos estudiantes y viejos militantes del partido comunista sentían también la tentación de «irse al monte». La proscripción de todo partido que no fuera el liberal o el conservador ayudó a que los miembros del PC buscaran otras vías para expresarse. Algunos guerrilleros, que habían sido tales en tiempos de La Violencia, y que se habían vuelto vulgares bandoleros al perder el apoyo del directorio político, se reprocesaron dentro de la nueva agrupación armada: volvían a ser respetables.

Ayudada por dinero que le llegaba de Moscú y de China, y más tarde con la colaboración pedagógica de Cuba, la lucha armada se lanzó a ocupar algunas zonas remotas del país. Una vez dominada la región, la guerrilla se ponía a jugar al gobierno, como los niños juegan a la tienda o al doctor: expedía decretos, cobraba impuestos, emitía papel moneda, nombraba autoridades y echaba discursos. Algunas llegaron incluso a tener, para mayor realismo, su propia guerrilla de oposición, que también dominaba una región dentro de la otra región y se ponía a jugar al gobierno y a expedir decretos, hasta provocar la aparición de una guerrilla más chiquita dispuesta a derrocarla, que también expedía decretos, cobraba impuestos, etcétera. Era tal como en el cuento del hombrecito de la avena Quáker, según lo relató el escritor cienaguero Alvaro Cepeda Samudio, maestro del autor de estas páginas, a cuya sonriente memoria rindo sentido homenaje.

A Lleras, que desde su primera llegada a la presidencia insistía con irritante frecuencia en que la Constitución autorizaba un solo gobierno[1], empezó a volvérsele una obsesión el tema del comunismo. Veía comunistas hasta en el caldo transparente de Palacio, pues el ajiaco, por razones de austeridad, había sido suspendido.

Esa fue la razón por la que invitó a Bogotá a John F. Kennedy, presidente de los Estados Unidos, máxima estrella del anticomunismo mundial, el hombre que les había dicho a los rusos, a pocos pasos del muro de Berlín, que fueran machos, que tumbaran la pared y les permitieran a los ciudadanos de los regímenes socialistas asomarse a

---

1. En diciembre de 1945, a raíz de un paro fluvial que había montado con gran éxito un jefe sindical, llegó a decir: «Colombia no puede tener dos presidentes: uno en el Palacio de San Carlos y otro en el río Magdalena». El otro presidente renunció ofendido.

occidente. Los rusos tenían razón en negarse, naturalmente. Tan pronto como alguien logró abrirle un boquete al muro de Berlín en 1989, se desocuparon los países comunistas. Ahora están en el poder aquellos que compartían el anti-comunismo hirsuto del *Pre*, como Boris Yeltsin y Vaclav Havel.

La visita de Kennedy produjo sensación. Jacqueline, chusquísima, balbuceó en español «Yo querer decir *jalóu* a Colombian pueblo», y la prensa, hipnotizada, escribió que había surgido la sucesora de Cervantes. Kennedy, entretanto, se retocaba el copete siete veces por minuto y esto produjo desmayos colectivos entre las señoras. De aquel viaje a Colombia del creador de la Alianza para el Progreso queda una imagen grabada para la historia: el pequeño y enjuto presidente de gafas y traje a rayas, que representaba la austeridad republicana en blanco y negro, flanqueado por el technicolor deslumbrante y colosal de Jack y Jackie.

Después de eso, a Alberto Lleras sólo le faltaba una hazaña patriótica para despedirse en medio de la simpatía general, y el empate a cuatro goles de la Selección Colombia con la Selección de la Unión de Repúblicas Socialistas Soviéticas en el Mundial de Chile se la proporcionó.

# UN HIDALGO EN PALACIO

Estaba escrito y pactado que, al terminar el período de Lleras Camargo, subiría Guillermo León Valencia, un jefe conservador que había sido valeroso caudillo contra la dictadura. Inicialmente, incluso, se hablaba de que Guillermo León iba a estrenar la tanda del Frente Nacional, pero después se resolvió que el *Pre* tenía afán de ser expresidente para poder montar en bicicleta de turismo por los caminos veredales de Chía. Otro menos austero lo habría hecho en motocicleta de 1.000 cms. cúbicos.

Guillermo León era hijo del maestro Valencia, un sabio humanista y poeta de Popayán que había recorrido el mundo, la historia y la literatura universales sin moverse de su sillón en la hacienda caucana de Paletará. Era comprensible: en Paletará no hay otra cosa que hacer sino leer o cazar, y el maestro no era muy aficionado a la cacería.

Su hijo, en cambio, sí lo era. Acostumbraba a salir en busca de presas ataviado con atuendo de camuflaje, sombrero de plumita, arco y flechas, machete, cananas, puñal tigrero, botas altas y guantes de cuero crudo. No había para él fin de semana mejor invertido que el que empleaba en sus hazañas venatorias. Que, para ser más exactos, no eran venatorias sino *patatorias*, porque al cabo de dos días de caminar por los cerros y bosques de Paletará, solía volver con uno o dos patos flacos por todo botín en la falquitrera.

No era culpa suya, sino del progresivo deterioro del medio ambiente. Se habían acabado primero los cóndores, después los indios, luego los venados y ahora sólo quedaban aquellos patos enteleridos que no habían tenido fuerzas para huir al Canadá.

Pero las mejores piezas de caza no las había cobrado Guillermo León en el monte sino en el Congreso. Habilísimo parlamentario, de respuestas veloces y demoledoras, mezclaba al mismo tiempo la oratoria elegante y recargada del siglo XVII o XIX con el aguijón implacable de su ingenio. A un rival que se las daba de tener mucha prosapia y descender de duques españoles de alta nobleza, Valencia le dijo:

—El problema es que usted *descendió* demasiado.

Y a otro que pretendió insultarlo al sugerir que no había logrado alcanzar la talla de su padre —el famoso maestro—, le contestó:

—Para mí es un honor saber que nunca, no importa lo que haga, lograré alcanzar a mi padre. Usted, en cambio, con no haber hecho nada, ya lo superó.

Sus relaciones con la prensa eran igualmente picantes. A un reportero de radio que lo atosigaba en busca de una respuesta y le metía el micrófono entre los dientes, le preguntó sarcástico:

—¿Usted quiere sacarme una declaración, o las amígdalas?

Valencia solía tratar a los periodistas con los títulos de «noble reportero» e «ilustre escritor», por lo cual la mayoría

de los redactores pensaba que estaba dirigiéndose a otra
persona. Una sola vez perdió los estribos con la prensa.
El que pagó los platos rotos —o, mejor, la cámara destrozada— fue el fotógrafo Carlos Caicedo, a quien vapuleó
por tomarle fotos cierta madrugada yerta tras una reunión
sobre economía de la cual salían Valencia y unos de sus
ministros. La explicación es que Valencia entendía poco
las complejidades macroeconómicas y se vengó de tan
aburrida velada con el primero que tuvo a la mano. Resultó
ser el bueno de Caicedito.

No era ésta su conducta habitual. Todo lo contrario.
Valencia llevó a la calle 10 un elemento que ya entonces
parecía algo pasado de moda: la hidalguía. Muchas noches
se le vio salir de Palacio embozado en una capa y pasear
por las callejuelas coloniales de La Candelaria, como lo
habían hecho el Virrey Solís y don Antonio Nariño. Los
transeúntes se limitaban a manifestar su sorpresa o su apre-
cio. Hoy lo habrían atracado.

Valencia se definió a sí mismo como «el presidente de
la paz», y en verdad le tocó guerrear muchísimo. Al terminar
su mandato la sopa de letras de la guerrilla —FARC, ELN,
EPL, MOEC, ETC, ETC, ETC.— se había aguado leve-
mente. So pretexto de la lucha contra la subversión, el
ejecutivo empezó a gobernar con apoyo en el artículo más
manoseado de la Constitución del 86: el 121. Este establecía
el estado de sitio en caso de conmoción interior o guerra
externa. Los gobernantes lo interpretaban de manera bastante subjetiva. Una indigestión, por ejemplo, era causal
suficiente para decretar el estado de sitio por conmoción
interna. Una vez montada la carpa del 121, allí debajo
cabía todo. Los gobernantes legislaban sobre orden público,
seguridad social, medidas económicas, licitaciones de parques, impuestos a la cerveza, creación de departamentos,
honores a educadores anónimos, etc.

La mayor crisis de su período se presentó cuando el ministro de defensa, general Alberto Ruiz Novoa, empezó a mostrarse como posible candidato presidencial y a dictar conferencias sobre la justicia social, la revolución, el nuevo orden, el cambio de estructuras y cosas así. El fenómeno empezaba a exhalar un penetrante aroma a cuartelazo, cuando Valencia, recordando su condición de cazador y aficionado taurino, resolvió agarrar el venado por los cuernos. Invitó a Palacio a Ruiz Novoa y le dijo:

—Noble amigo y general: si usted quiere hablar de justicia social, más le vale empezar por la mayor denuncia que se ha escrito en nuestra patria sobre el conmovedor tema. Me refiero al poema «Anarkos», de mi dilecto padre, que dice así: «En el umbral de la polvosa puerta, sucia la piel y el pelo entumecido...»

Y, sin dar tiempo a que Ruiz Novoa reaccionara, le recitó con lentos ademanes y voz engolada la versión *completa* de aquel largo poema. Cuando el astuto mandatario finalizó su declamación —Ruiz Novoa sollozaba conmovido—, el período presidencial había terminado hacía dos meses, Valencia salía al día siguiente hacia la embajada en España y el general, convertido ya en exgeneral, estaba programado para administrar un negocio de pollos en Fusagasugá.

Muy típicamente hidalgo fue el regalo que llevó Valencia al generalísimo Francisco Franco, dictador de España, cuando se posesionó de la embajada: un caballo de paso castellano. Ante lo cual no tuvo otro remedio el gobernante español que corresponder el obsequio a Guillermo León con dos bultos de café suave.

## AMIGOS Y AMIGAS

A Carlos Lleras Restrepo le parecía mentira que llegara al fin el 7 de agosto de 1966, fecha de la posesión presidencial. Estaba preparándose para ese día desde que cumplió un año y se le hacía la boca agua de sólo pensar en los coeficientes de empleo, el impuesto *ad valorem*, los fletes FOB, las tarifas CIF, el Producto Interno Bruto y el índice de captación de ahorro. Cuando lo escuchaban hablar con fruición de estos temas, nadie podía creer que ese mismo personaje que almacenaba en la cabeza las cifras más aburridas, los conceptos macroeconómicos más complejos y las estadísticas más puntillosas había adquirido cierta fama, en su juventud, de poeta erótico y boxeador pugnaz.

Esto último, sin embargo, se echó de ver durante los cuatro años de su mandato. *Kid Remache*, como se le conocía en los mentideros del *ring-side*, montó pugilatos con medio país. A semejanza del ají chivato, el nuevo presidente tenía muy mal genio y estaba dispuesto a demostrarlo.

En los 48 meses de su gobierno peleó con los terratenientes y organizaciones campesinas de extrema izquierda, por culpa de la reforma agraria;

con los dueños de riquezas fugadas, por un célebre decreto —el 444— de control de divisas;

con los estudiantes, por culpa de las medidas oficiales contra la autonomía universitaria;

con los costeños, por la retinta imagen cachaca que proyectaban sus apellidos;

con los militares, por declaraciones o escritos inoportunos de algunos generales;

con el Fondo Monetario Internacional, por los recortes que éste pretendió imponer a la soberanía económica nacional;

con los venezolanos, por el pleito del Golfo de Coquivacoa;

con los parlamentarios, porque no querían aprobarle una reforma constitucional;

con la prensa, porque censuró la publicación de una fotografía de la hija de Rojas Pinilla saliendo en andas del Capitolio;

con sectores de la oligarquía, porque impulsó una reforma tributaria que afectaba los grandes capitales;

con intelectuales de izquierda, porque el primer mandatario tenía algunas tendencias asaz autoritarias;

con el Grupo Santo Domingo, porque intervino en una tumultuosa asamblea de Bavaria;

con un sector del partido liberal, porque mantenía una vieja rivalidad con Julio César Turbay;

con el Procurador General de la Nación, porque éste lo sancionó a raíz de una intromisión presidencial en política partidista;

y con un congresista, conocido corrupto y corruptor, porque pretendía pasar de diablo a fabricante de hostias y convertirse en fiscal del presidente.

Este último caso, conocido como Fadul & Peñalosa, habría terminado a los físicos puñetazos si no es porque interviene la Federación Mundial de Boxeo y le explica a Lleras que, en materia de moral, él era peso pesado y el otro no llegaba siquiera a peso mosca. El combate era desproporcionado.

Muchas de las peleas de Lleras Restrepo se debían, sin embargo, a que su administración estaba imponiendo orden en la economía, pisando callos y sacudiendo apenas medianamente las obsoletas estructuras económicas y sociales del país. Estas expediciones renovadoras no se emprenden sin granjearse enemigos. Por eso muchos televidentes se sonreían cuando, al verlo aparecer en televisión para explicar a los colombianos sus actos de gobierno, empezaba la charla con las siguientes palabras:

—Amigos y amigas...

Hubo momentos en que habría podido decir también «enemigos y enemigas» y la audiencia habría sido muy similar, pues el país parecía partido en dos. Era un poco injusto con quien trabajaba 24 diarias por cumplir sus proyectos de gobierno. A tal punto llegaba la consagración de Lleras Restrepo que había dejado de saborear sus ocasionales whiskies vespertinos y ahora tomaba a toda hora jugo de guayaba.

### El retorno de Gurropín

Buena parte de esa división se debía a la amnesia nacional. Apenas dos lustros antes, Rojas Pinilla había salido a gorrazos, para luego ser condenado a la pérdida de sus derechos. Ahora el ex Jefe Supremo regresaba al escenario político en medio de una sorprendente popularidad. Ya había conseguido un notable suceso en las elecciones de

1964, y en los años siguientes creció como espuma de agria. Esto último es más que una hipérbole, pues su mayor apoyo estaba en los sectores populares, donde se toma cerveza tibia y refajo espumoso y se juega tejo[1].

La oratoria con que Rojas había atraído a cientos de miles de colombianos hacia su Alianza Nacional Popular era muy sencilla. El ex Excelentísimo se paraba en la tribuna pública con un talego de mercado y se dedicaba a exhibir artículo por artículo.

—¿Cuánto está costando ahora esta papa que tengo en la mano? —preguntaba Rojas.

—¡Sesenta pesos el kilo! —vociferaba la multitud.

—Bueno: pues en mi gobierno costaba veinte. Y este aguacate, ¿a cuánto se vende ahora?

—¡A once pesos con setenta y cinco centavos! —vociferaba la multitud.

—Bueno, pues en mi gobierno se vendía a siete pesos con treinta. ¿Y esta botella de leche, cuánto cuesta?

Los discursos eran tan largos y tediosos como abundante el mercado que llevara ese día. Pero muy efectistas. Poco a poco la Anapo se convirtió en la principal fuerza de oposición, ya que el Movimiento Revolucionario Liberal (MRL) había entrado al gobierno cuando su líder, Alfonso López Michelsen, aceptó la gobernación del nuevo departamento del Cesar. Después de muchos años de beligerancia

---

1. De hecho, el tejo simbolizó durante muchos años las raíces populares del partido liberal. En el Campo Villamil, oloroso a cerveza y mingitorio, se citaron muchas veces los jefes liberales con los reporteros gráficos para la obligatoria foto populista de campaña. Allá reventaron mecha alguna vez López y Santos, Jorge Eliécer Gaitán, Gabriel Turbay, los Lleras, Julio César Turbay... Desde hace unos años el liberalismo dejó el tejo y se matriculó en el tenis. Si a uno de los jóvenes jefes liberales de hoy le entregan un tejo, lo más posible es que crea que se trata de un pisapapeles hecho por los presos.

y enfrentamientos con el sistema, López había decidido, sabiamente, dedicarse a oír vallenatos, acudir a riñas de gallos y conversar con sus compadres, en vez de perder el tiempo haciendo política desde la calle.

María Eugenia Rojas, que sumaba a su indudable carisma y simpatía una oportuna intervención de cirugía estética maxilofacial, era ahora la capitana de los descontentos y los patihinchados.

Lleras Restrepo, mientras tanto, no paraba un minuto de trabajar para poder llevar a cabo sus programas. Creó Coldeportes —Instituto Colombiano del Deporte—, Colcultura —Instituto Colombiano de Cultura—, Colciencias —Instituto Colombiano de Ciencias— y Colinstitutos —Instituto Colombiano de Institutos. Recorrió todo el país, y se probó 167 sombreros regionales distintos. Según datos oficiales, entre el 7 de agosto de 1966 y el 5 de enero de 1969 había efectuado 63 viajes nacionales y volado 262 horas. Si en esa época hubiera estado vigente el sistema de recompensa de kilometraje que hoy aplican las aerolíneas, habría podido darle siete veces la vuelta al mundo gratis.

El dinamismo de Lleras se hizo famoso internacionalmente, hasta el punto de que el Papa Pablo VI manifestó su interés en conocer a un tipo que, según decían, habría sido capaz de intentar la creación del mundo en sólo cinco días sin necesidad de nombrar a Dios ministro de obras públicas. Antes de que Lleras fuera a verlo, el Papa se vino a Bogotá. Era el primer viaje de un Sumo Pontífice a América, y aquí se lo recibió como si fuera a ser el último. Lleras, para aprovechar la visita, inauguró un parque y un templete en El Salitre y pavimentó la mayor parte de Bogotá. Al Papa no le quedó más remedio que convocar a toda mecha un Congreso Eucarístico Internacional para justificar tanto revuelo. Del Congreso habló todo Colombia con arrobo y orgullo durante un año entero, y es el momento en que nadie sabe en qué consistió, ni para qué diablos servía.

Según el politólogo francés Daniel Pécaut, «es innegable que Lleras realizó una reorganización económica y política indispensable». Y agrega: «El balance económico del gobierno de Lleras Restrepo es, desde muchos puntos de vista, positivo». Uno de ellos es la producción de guayaba, que se multiplicó por cuatro gracias al consumo presidencial de jugos y sorbetes de esta fruta. Pécaut publica luego una serie de cifras que sólo podían entender Lleras y él. Justamente por eso, por lo que no entendía de cifras sino de precios viejos y nuevos de la papa, el aguacate y la leche, el pueblo, mientras tanto, se inclinaba peligrosamente por la Anapo.

En realidad, después de tantos años de preparación para la presidencia, Lleras había llevado bajo el brazo un programa de reformas que habría necesitado un período presidencial de quince o veinte años para realizarse a medias. Cuando se le acabaron los cuatro años prescritos, miró a todos lados y exclamó sorprendido:

—Pero si yo estoy apenas empezando...

Lleras fue un ejemplo de consagración y laboriosidad, y así se lo reconoció el país cuando falleció en septiembre de 1994.

Al llegar las elecciones de 1970 la situación estaba tesa. El candidato del Frente Nacional era un exministro conservador de patilla larga, Misael Pastrana Borrero, y el de Anapo era el propio general Rojas, cuyos derechos habían sido rehabilitados en algún momento por algún Tribunal por alguna razón. En Colombia siempre hay momentos, tribunales y razones para rehabilitar a alguien.

El 19 de abril fue el día de los comicios. La campaña había sido muy movida, y la gente acudió a votar: el número de electores subió de 2'638.411 en 1966 a un poco más de 4 millones en 1970. Cerradas las urnas, la radio empezó a ofrecer los resultados. Al llegar la noche, Rojas Pinilla estaba derrotando al candidato frentenacionalista, y el pueblo, convencido de que iban a bajar la papa, el aguacate y la leche, se lanzó feliz a la calle. Fue entonces cuando se produjo un curioso fenómeno astronómico-político que aún se estudia en las escuelas de geofísica y politología del mundo entero: el eclipse electoral del 19 de abril, también llamado el *Cometa Noriega*, en honor al ministro de gobierno que primero lo vio.

El eclipse consistió en que, al salir la luna en cuarto menguante, Rojas va adelante en el recuento de votos; pero, llegada la medianoche, el gobierno ordena suspender cualquiera información electoral; y unas horas después, al despuntar el sol, sorprendentemente aparece ganando Pastrana. Así como al Hombre Lobo durante la noche le nacían pelos, al candidato oficial durante la noche le habían nacido votos. La diferencia fue pequeña, pero suficiente para obtener la credencial: exactamente 63.557 sufragios.

Un viejo jefe político de Nariño conocido por su incontinencia urinaria, el conservador Luis Avelino Pérez, confesó una vez a su copartidario Lucio Pabón Núñez que él había sido el autor del eclipse. Pérez dijo que en su poder estaban las llaves del arca donde se depositaban los votos del departamento y, cuando se dio cuenta de que Rojas ganaba en la votación global del país, «abrió el arca y cambió los votos favorables a Rojas por votos de Pastrana». El candidato frentenacionalista ganó a Rojas en Nariño por 51.131 votos. Es decir: por 102.262, pues los que perdía el uno los ganaba el otro. En la precaria diferencia, esta sustitución varió esencialmente el resultado. Cumplida su misión, Luis Avelino se marchó a cumplir una nueva micción...

La prensa oficialista se apresuró a explicar que el súbito cambio de ventaja durante el bloqueo de datos se debía a la llegada de los resultados de aldeas remotas seguidoras del candidato conservador. Pero los descamisados urbanos no estaban para oír hablar de aldeas remotas, así que gritaron «¡Fraude!», como en la Novena Sinfonía de Beethoven, y se lanzaron a organizar manifestaciones, tumultos y pedreas.

Mas Lleras Restrepo no tenía tiempo que perder; le quedaban tan sólo 165 días de mandato y aún seguía pendiente el 86 por ciento del monumental programa de gobierno que se había propuesto ejecutar desde que era niño en el colegio de los Hermanos Maristas[1]. Así que el 21 de abril apuró un vaso doble de jugo de guayaba, decretó el estado de sitio, impuso el toque de queda, apareció en televisión y les dio una hora a los ciudadanos, revoltosos o no, para abandonar las calles. De lo contrario, serían detenidos.

Una revolución popular está preparada para la resistencia sangrienta en barricadas, para la toma de la Bastilla, para la ocupación del Palacio de los zares o para morir fusilada. Pero no para que la manden a dormir a las ocho de la noche. Fraudada por el resultado del 19 y defraudada de que el gobierno la tratara como a un niño chiquito, la turba agarró la última buseta y se marchó a su casa.

---

1. Algunos años después, Lleras Restrepo quiso volver a la presidencia para avanzar otro poquito en el programa pendiente, pero se lo impidió la política. Olaya Herrera también quiso un segundo período, y falleció; López Pumarejo lo logró, pero no pudo terminarlo; su hijo fue derrotado en el intento; a Rojas Pinilla le ocurrió lo que hemos visto. En general, a los mandatarios colombianos que intentan repetir les ha ido mal en el siglo XX. Por eso la nueva Constitución resolvió dejarse de vainas y prohibir la reelección.

El 7 de agosto de 1970 a las 5 p.m., con el país más o menos tranquilo, Lleras entregó el mando y la jarra de jugo de guayaba a su sucesor. Hasta las 4 y 59, un minuto antes de entregar el poder, había estado tratando de terminar su programa.

# EL ÚLTIMO PRESIDENTE
# DEL FRENTE NACIONAL

La contribución de Misael Pastrana Borrero, último presidente del Frente Nacional, a la concordia de los colombianos, es equivalente a la de estos renglones en la totalidad de este libro.

## UN DECENIO PARA MASCAR

Si los gobiernos colombianos tuvieran sintonía con el pueblo, los del Frente Nacional no habrían sido ocupados por un austero gobernante, un hidalgo caballero, un economista severo y un político conservador, sino por presidentes de pelo largo y barba, flor en el ojal, saco de pana, camisa abierta, cacho de yerba en el bolsillo y bluyínes desteñidos. Mejor dicho, gente chévere, marica, ¿sí me entiende?, gente en la onda...

Y es porque, mientras los gobiernos del FN se ingeniaban en Palacio maneras de aplicar el estado de sitio al reumatismo o los malos matrimonios, en las calles florecían los dichosos, revoltosos e inolvidables años sesentas. La era del renacimiento romántico había venido precedida en el mundo por el conjunto de Los Beatles, cuatro mechudos de Liverpool que imponían un nuevo estilo de música a partir del *rock-and-roll* heredado de Elvis Presley. Los Beatles no sólo sonaban distinto, sino que su aspecto —pelo largo, cero corbatas, pantalón campana— parecía distinto e imitable. Ni siquiera a los más fanáticos admiradores de Elvis se les habría ocurrido salir a la calle en Bogotá con un traje blanco de vaquero, botas rojas y camisa azul rey con botones dorados; en cambio empezaron a aparecer muchos chapinerunos, caleños, santandereanos, paisas y costeños que intentaban parecerse a Los Beatles.

Los melenudos de Liverpool, sin embargo, no eran causa sino efecto de un aire fresco que empezaba a sacudir a Europa y Estados Unidos por primera vez después de la II guerra mundial. Bastaba con observar lo que había dejado, veinte años después, la «gran guerra liberadora de occidente», para darse cuenta de que alguien había engañado a alguien: Estados Unidos bombardeaba a los pobladores de Vietnam, que ya habían sido bombardeados antes por los franceses; la Unión Soviética invadía con sus tanques a Checoslovaquia; John Kennedy, aquel retazo de un posible mundo mejor, era asesinado y nadie sabía exactamente por qué; China desataba una revolución cultural cuyo fin era colgar a todos los que sabían leer y escribir; mientras el planeta dormía, poderosos arsenales atómicos quedaban a la espera de que alguien hundiera el botón fatal...

La frustrada aventura guerrillera del Che Guevara en 1967 y los desórdenes estudiantiles de París en mayo de 1968 marcaron el paso político de la década. Como buenos revolucionarios, ambos —el Che y los estudiantes franceses— pensaron que iban a cambiar el mundo. Y, como buenos profetas, estaban equivocados. De aquel queda un ejemplo noble y unas calcomanías que pegan en las busetas; de estos quedan unos cuantos lemas como «Prohibido prohibir» y «Sean realistas, pidan lo imposible», que los ejecutivos de hoy no saben si atribuir a una agencia de publicidad o a Woody Allen.

La reacción de los jóvenes de los años sesentas ante este mundo tan mal reconstruido fue, más que todo, su-

mergirse en lo poco que aún podía merecer la confianza
de la humanidad: el yo y el tú. Las experiencias personales,
las relaciones interpersonales... Los sentimientos construc-
tivos, frente a los sentimientos destructivos: la belleza, la
paz, el amor... Las aventuras liberadores, frente a las aventuras opresoras: la libertad sexual, la droga, la naturaleza...
La búsqueda personal, frente a la persecución colectiva:
el existencialismo, las religiones orientales...

El asunto sonaba muy bien y el mensaje empezó a calar
también en Colombia. Especialmente aquello de la libertad
sexual, atractivísima novedad en una sociedad donde sólo
los mayores de 21 podían ver en el cine una teta, una sola,
la derecha, de Brigitte Bardot en «La parisienne». El acceso
a la mamografía de Sofía Loren estaba reservado a los
mayores de setenta.

Los primeros que dieron en acoger la nueva ola de la
literatura, la moda, la música y las costumbres fueron los
nadaístas, unos tipos sospechosos de estar peleados con
las tijeras, el agua y el jabón, que escribían poemas in-
comprensibles, tomaban cerveza en la cafetería El Cisne
y hacían con las novias cosas que no se hacen ni con las
señoras. Sobre todo, no con las señoras. Gonzalo Arango, un
paisa dulce y atrevido, era el jefe de la caterva. Sus poesías
(una de las cuales proclamaba su deseo de «ser un semáforo
bajo la lluvia») erizaban a los que se habían criado leyendo
a Flórez y Valencia, donde «todo rimaba, mijo, todo rimaba».

Un discípulo suyo llamado Pablus Gallinazo era, además
de poeta, compositor. Suya era una canción que estuvo
largamente de moda, hasta el punto de que el presidente
Lleras Restrepo confesó que la tarareaba mientras creaba
institutos:

El reloj se ha dañado
pero el hambre despierta;

son las seis y en la puerta
oigo un hombre gritar:
«Vendo leche sin agua,
vendo miel, vendo pan»,
y dinero no hay.
Por eso siempre salgo a caminar
en busca de una flor para mascar
pensando que a la vuelta de la tarde
el trabajo que sueño ya es verdad.

«Una flor para mascar» se escuchaba en programas juveniles de radio y televisión, sobre todo en uno llamado el Club del Clan, junto con miles de canciones parecidas que formaban parte de un movimiento nuevo y prolífico llamado la Nueva Ola. Tenían como común denominador el no decir nunca nada trascendental: «Agujetas de color de rosa y un vestido grande y feo...», «Cómo quieres que queme el pañuelo manchado de *rouge*...», «Despeinada, jajá, jajaá...», «Si vuelves a llamarme despeinada, tendré que llamarte copetón...», «Era un bikini amarillo, a lunares, diminuto, justo...», «Oigo tu voz y me enloquece, Billy, y todo se estremece en mí...», «Tomás, qué feo estás...», «Popotitos no es un primor, pero baila que da pavor...», «La shevecha se me shube a la cabesha...».

En fin, nada que pudiera iniciar un nuevo movimiento ontológico. Algunas parecían hechas *para* retrasados mentales, pero no era así: simplemente estaban hechas *por* retrasados mentales. Pero estos retrasados mentales tenían la ventaja de que al menos no estaban lanzando napalm en el sudeste asiático ni arrasando las calles de Praga.

Al país llegaban grandes inventos, como las discotecas, unos *grilles* para gente joven que, en vez de orquesta viva y precios de escándalo, tenían discos, un buen equipo de sonido, bebidas al alcance del bolsillo y nombres de combate: El elefante blanco, La mamut rosa, La píldora... En estas discotecas, y en pequeñas reuniones de amigos, empezó a circular un milenario producto andino que hasta entonces sólo consumían los desesperados de los bajos fondos: la marihuana.

Era una moda importada, como muchas otras, de Estados Unidos. Los antiguos soldados de Vietnam la habían conocido en el campo de batalla y ahora empezaban a imponer en la frustrada sociedad norteamericana estos mecanismos baratos de evasión. Pronto la yerba circulaba en fiestas y cocteles, y se supo de más de una junta directiva en la que alguien sacó una chicharra y la puso a circular boca a boca, ¿bien?, mientras aprobaban el balance, qué full bacanería...

La generación de los sesentas tuvo un nombre genérico: los yeyés. Todo era yeyé: la moda yeyé, la música yeyé, las chicas yeyés, las fiestas yeyés. Hasta que alguien, aburrido con el repique, resolvió inventarse una denominación generacional que fuera menos simple, más elocuente, con mayor carga semiótica y ecos profundos de nuestras propias raíces nacionales. Entonces los llamaron gogós. Gogós y yeyés convivían sin problemas, especialmente porque nunca se supo cuál era cuál. En el fondo, todos ellos eran versiones locales de los hippies, que irrumpían en el mundo con sus mensajes de hacer el amor, no la guerra.

Una clasificación antropológica de los ejemplares de la época revela los siguientes prototipos:

*Variedades de hippies colombianos*

1) *Hippie Gucci*: era el hippie fino, de marca. Usaba capa de terciopelo, sandalias Bally y camisas floreadas de Mark & Spencer. Se aplicaba champú Vidal Sasson en el frondoso pelo y era un lince para los negocios. El más caracterizado de ellos fue quizás el hoy premiadísimo editor

Benjamín Villegas, quien se casó en coche de caballos y disfrazado como si perteneciera a la Tuna Rosarista.

2) *Hippie criollo*: era la flor del hippismo según se cultivaba en el huerto nacional. Típica indumentaria: chaquiras, mochila arhuaca, pulsera artesanal comprada en la calle 60 y balaca sanjacintera. Leía cosas esotéricas y escribía poemitas. Algunos de ellos, como Ruddy Hommes y Guillermo Perry, terminaron ocupando el ministerio de hacienda, vaya uno a saber por qué...

3) *Hippie lumpen*: greñas con grumos, pantalones de color indefinido, barba con telarañas y briznas de marihuana en el bolsillo. Más conocido como mendigo tradicional, adquirió nueva respetabilidad en los años sesentas.

*Variedades de chicas colombianas de los sesentas*

1) *Chica yeyé*: pintaba la camiseta con iris, escuchaba Radio 15, llevaba anillos en todos los dedos, se planchaba el pelo para parecerse a Françoise Hardy, se aplicaba *sugar-and-ice* en los labios, leía a Khalil Gibrán y usaba minifalda, bota blanca alta y capul. Decía que sólo sería capaz de darlo por amor.

2) *Chica revolucionaria*: quería formar parte de un grupo de teatro, llevaba escarapela con la imagen del Che Guevara, leía a Marcuse, decía que era estudiante de la Universidad Nacional, había abandonado ostensiblemente el sostén, usaba boina y se lo daba al novio porque le gustaba «compartir».

3) *Chica plan*: usaba lápiz labial blanco, pantaloncito caliente de cuero, pelo lacado, bota carmelita con reborde

de piel, medias de seda a rombos, no tenía ni idea quién era Marcuse, creía que Khalil Gibrán era un balneario turco y lo daba con cualquier excusa convincente.

## El boom

Desde el punto de vista cultural, lo más importante que ocurrió en los años sesentas para Colombia y para América Latina fue el *boom* literario. La coincidencia de aparición de algunas novelas buenísimas, como *La ciudad y los perros*, del peruano Mario Vargas Llosa; *Rayuela*, del argentino Julio Cortázar; *Cien años de soledad*, del colombiano Gabriel García Márquez; y *Tres tristes tigres*, del cubano Guillermo Cabrera Infante, hizo que se produjera un súbito y desmadrado interés por la literatura contemporánea hispanoamericana. Los escritores fueron elevados a la categoría de líderes políticos, líderes religiosos, líderes filosóficos, líderes sexuales y la gente voló a comprar los libros para poder decir que los tenían en casa. Algunos cuantos llegaron incluso a leerlos.

De pronto, no había colombiano que no hubiera conocido a García Márquez cuando era reportero de prensa y que no lo llamara Gabo y hasta Gabito. Algunos recordaban haber llegado al extremo de darle consejos sobre el uso correcto del gerundio. Todos los costeños reclamaban haber sido miembros del Grupo de Barranquilla, una pandilla de amigos que se reunían a hablar de literatura y beber ron en el bar La Cueva y del cual originalmente formaban parte García Márquez, Cepeda Samudio, Alejandro Obregón y Germán Vargas Cantillo. Cuando alguien realizó un inventario de los supuestos contertulios aparecidos después del *boom*, se dio cuenta de que, si todo lo que decían sobre asistentes y frecuencia de reuniones era verdad, La

Cueva debería haber tenido el tamaño del estadio Maracaná y sus miembros habrían acabado alcoholizados.

Muy pronto empezaron a sumarse al tren del éxito comercial y la popularidad literaria escritores de otras épocas. Un día, una conocida casa editorial organizó un coctel para presentar al que calificaba como «el más reciente y espectacular descubrimiento del *boom*». Era un tipo de ojos tristes y mostacho enroscado que respondía al nombre de Jorge Isaacs. Su novela: nada menos que la inagotable *María!!!*

En ese momento los lectores entendieron que las editoriales estaban abusando de su entusiasmo y de su plata y entonces el *boom* hizo **boom** y pasó a la historia.

Los años sesentas terminaron en Colombia de manera abrupta a las 8 y 23 p.m. del 7 de agosto de 1970, en el momento exacto en que el expresidente Lleras Restrepo declaró que estaba desesperado de tomar jugo de guayaba y se clinchó el primer whisky de los últimos cuatro años.

## EL MASATO CARO

La ONU declaró a 1974 «el Año del Hijo». En solidaridad con tan noble campaña internacional, Colombia prohibió que en las elecciones de ese año participaran candidatos que no fueran hijos de expresidentes[1]. En un principio los exmandatarios inscribieron hasta escolares mocosos y niños de pecho. Pero en la etapa final de la campaña sólo quedaban tres de los candidatos: la hija de Rojas Pinilla, el hijo de López Pumarejo y el hijo de Laureano Gómez.

Era un espectáculo curioso, porque el papá de la primera y el papá del segundo se habían unido en 1953 para derrocar al papá del tercero, y más tarde el papá del tercero y el papá del segundo habían ayudado a tumbar al papá de la primera en 1957.

---

1. Aunque el «Año del Hijo» declarado por la ONU terminó el 31 de diciembre de 1974, a varios expresidentes les ha quedado la idea de que sigue vigente, y se ponen bravísimos cuando sus niños no ganan.

Después de una campaña en la cual por primera vez eran más nombrados los padres que las madres, López Michelsen, candidato del partido liberal, derrotó cómodamente a los otros dos. Empezó entonces el gobierno de lo que primero se llamó «el mandato claro» y después «el masato caro», en alusión al alza que sufrieron los precios por la inflación inmoderada del cuatrienio. Para el que no lo recuerde, 118 por ciento.

No fue poca hazaña para López salir elegido. De reconocida inteligencia, venía de una larga y compleja historia personal que se inició como profesor de derecho constitucional y que tuvo su más difícil momento como hijo del ejecutivo cuando sus enemigos —que eran muchos— le endilgaron la caída del partido liberal. Había permanecido una larga temporada en México en el exilio político, y allí se le conocía como novelista[1], árbitro de la moda masculina, especialista en corridos, historiador, conversador ameno, criador de una perra dálmata llamada Lara, leñador de árboles genealógicos y realizador de cine. «Llamas contra el viento», la película que produjo López Michelsen, estaba inspirada en el más famoso poema de Porfirio Barba Jacob. Pero, en honor a la verdad, hay que decir que a López se le podrá acusar de multitud de cosas, muchas de ellas ciertas, pero jamás de haber cometido poesía. Ha sido, en cambio, escritor de asuntos botánico-bogotanos, religioso-jurídicos y literario-sabaneros.

Para entonces aún no había desarrollado una vena tardía de sultán de salón, que le floreció con el tiempo y el poder. Es preciso reconocer que pocos señores mayores de setenta

---

1. Su novela *Los elegidos* trata sobre la vida de los alemanes en Colombia durante la II Guerra Mundial. De ella se hizo una coproducción cinematográfica ruso-colombiana que, según dicen, contribuyó a acelerar la caída del régimen soviético.

años (López nació en el 13) han atraído con mayor magnetismo
la compañía de las señoras de la alta sociedad en cocteles y
comidas. Donde quiera que esté el hoy expresidente, aparece
rodeado de damas de diversas edades que están dispuestas
contarle sus tragedias sentimentales o escucharle hablar de
los temas menos esperados. La filosofía de Jeremy Bentham
y su influencia en Santander, por ejemplo, puede ser la
disquisición típica con la que remate una ternera a la llanera
en la hacienda de los Valenzuela en la Sabana. La escena
se copia siempre a sí misma. López ocupa una silla. Las
adoratrices se acomodan a su alrededor (si es una escalera,
mejor aún). El expresidente empieza a conversar sobre la
materia con su voz un tanto gangosa. Y, al cabo de media
hora, la mitad de las señoras duerme con una sonrisa pa-
ralizada en la boca y los ojos abiertos, como las liebres,
mientras que la otra mitad comenta: «¡Tan divino Alfonso!». Pero ninguna ha entendido nada.

Después de su temporada como hombre renacentista
tropical en México, varios amigos convencieron a López
de que regresara a Colombia a encabezar una cruzada de
izquierda contra el tándem frentenacionalista, que se llamó
Movimiento Revolucionario Liberal: MRL. En esa época
López era un hombre de izquierda. Ponía cara agria, hablaba de la revolución y había acudido a la prohibida
China, donde se tomó foto con Mao Xedong; López es el
nonagésimo quinto de la fila vigésimo séptima, a la derecha
del Gran Timonel; el que lleva gafas de carey y corbata
Tremlett. Sus editoriales fundamentalistas en el semanario
*La Calle*, por otra parte, lo hicieron uno de los personajes
más odiados por el Establecimiento oficial y la llamada
Gran Prensa. Es decir, por sus futuros aliados.

Ah: como si fuera poco, también sabía de vallenatos en
una época en que los colombianos creían que «La gota
fría» era una enfermedad del tracto urinario...

No habían transcurrido nueve meses desde la posesión de López Michelsen cuando le cayó encima la primera desgracia económica al país. Una noche oscura, el presidente apareció por la televisión y anunció, con lágrimas en los ojos y la voz quebrada por la tristeza, que había llegado una terrible bonanza cafetera y que Colombia estaba tan rica que se hallaba al borde de la ruina. Se trataba de una doble desgracia. En primer lugar porque, según lo manifestaba el presidente, para el país era malísimo que su café se vendiera a buen precio. Y, en segundo término, porque los colombianos habíamos vivido en el error, convencidos de que nos iba mejor si nos pagaban bien el café en el exterior que si nos lo pagaban mal.

—Compadre —le comentó esa noche en Chinchiná un campesino a otro, desilusionado y perplejo, a tiempo que se quitaba la corrosca y se rascaba la cabeza—: no entiendo un culo.

El país tampoco. Pero la situación era muy sencilla: cuando en Brasil hacía mal tiempo y se helaban los cafetales, nos fregábamos los colombianos. En cambio, cuando en Brasil hacía buen tiempo y la cosecha de café era buena, también nos fregábamos. Lo cierto es que el precio del café colombiano pasó de 66 centavos de dólar la libra en mayo de 1975 a 3.50 dólares en abril de 1977. Una catástrofe. Después bajó hasta estabilizarse en 1.30 dólares la libra. Otra catástrofe.

Ni siquiera los nombramientos de varias actrices populares en cargos diplomáticos del gobierno —todas ellas miembros de la corte del faraón liberal— ayudaron a paliar el problema cafetero.

Otros signos económicos anunciaban también el Apocalipsis. En 1975 el Producto Bruto Interno fue el peor de los últimos veinte años y la balanza petrolera indicó a partir de 1976 que, en vez de exportar crudo, Colombia se había convertido en importadora. Mientras tanto, la industria de la construcción bajaba en un 37 por ciento, y la agricultura se estancaba. Lo único que parecía crecer a un ritmo sorprendente eran las exportaciones menores. Pero, lejos de ser un suceso alentador, esto iba a ser una nueva tragedia. En esas cifras se escondían ya los primeros grandes pasos del tráfico de droga, que ha sido una catástrofe peor que todas las catástrofes mencionadas anteriormente.

El panorama, pues, era aterrador. No había noticia buena que no fuera mala, ni noticia mala que no fuera pésima. Durante su campaña López había prometido convertir a Colombia en «el Japón de Suramérica», pero hasta ahora sólo había logrado dejarla como Hiroshima y Nagasaki.

No todo era culpa suya, por supuesto. Muchos de estos problemas venían de tiempo atrás, y otros fueron resultado de la fatalidad. ¿Quién iba a pensar, por ejemplo, que caerían heladas anti-colombianas en los sembrados cafeteros del Brasil?

Lo cierto es que algunas de esas tragedias, como la conversión de Colombia en importadora de petróleo, encontraron soluciones inteligentes durante el gobierno de López. Buena parte de la situación de bonanza petrolera que vive el país desde hace algunos años es el resultado de la política de fomento de las exploraciones establecida por el Mandato Claro.

Al mismo tiempo empezaba a fermentarse, por culpa de la postración económica, un fenómeno de descontento social muy complicado. Podríamos analizarlo acudiendo a estadísticas sociales y coeficientes económicos, pero es más fácil explicarlo en cuatro palabras: 1) la 2) gente 3) estaba 4) agobiada. Agobiada de que la plata no le alcanzara y de que subiera todo. Fue entonces cuando empezaron los paros. Pararon los maestros, los médicos, los trabajadores del Banco Central Hipotecario, los azucareros, los cementeros, los petroleros... Pararon hasta trabajadores que uno ni siquiera sabía que existieran, como el Sindicato de Peluqueros de Perros, la Unión Nacional de Silbadores de Valses y la Liga Colombiana de Donantes de Semen. Estos en realidad no pararon, sino todo lo contrario.

Al cabo de pocos meses se formó la Confederación Nacional de Paradores Profesionales, CONAPAPO, que era el único sindicato que trabajaba sin descanso. El 14 de septiembre de 1977 las cuatro centrales obreras afiliadas a CONAPAPO resolvieron hacer un día de huelga general. La jornada fue un éxito, con muertos y todo, y dicen que constituye un hito histórico en la lucha reivindicatoria de las clases laborales, etc.

La gente estaba agobiada, además, por los avances de la corrupción. Los periódicos denunciaban favoritismo en contratos de obras públicas, contrabandos de café organizados desde una oficina gubernamental de segunda importancia, largos viajes de amigos y parientes en el avión presidencial. La más grave denuncia tenía que ver con una carretera al llano a cuya vera había surgido una hacienda, La Libertad, en la cual tenía interés un hijo del presidente. O viceversa: una hacienda a la cual le había surgido una carretera.

El más fervoroso atacante del gobierno era Lucas Caballero, Klim, maestro del humor y columnista de *El Tiempo*, a quien rindo aquí sentido homenaje. Los ataques de Klim y los de doña Bertha Hernández de Ospina, esposa del expresidente conservador del 9 de abril, habían acabado de revolverle la bilis al jefe de Estado. Como no podía pedir el moño de doña Bertha, porque era dama de muy malas pulgas, Palacio pidió a *El Tiempo* la cabeza de Klim. Esta rodó por los suelos, y desde entonces el caudillo del antiguo MRL no ha podido lavarse de las manos la sangre de ese justo.

El gobierno de López termina cuando ya se está formando un nuevo país, mucho más complicado e impredecible, por el encrespamiento de la lucha popular y el avance del narcotráfico.

## HORMONADO Y TESTICULADO

Uno de los relatos de prensa correspondientes al mes de mayo de 1978 dice que en Tanurine, pequeña villa serrana del Líbano —pero no Líbano, Tolima, sino Líbano, Oriente Medio —, hubo un explosivo carnaval de alegría cuando se conocieron los resultados electorales de Colombia. Había ganado Julio César Turbay, descendiente de una familia del lugar emigrada a América. Aquella semana Tanurine fue una fiesta. Los aldeanos bebieron vino añejo, comieron queso de cabra y se liaron en duelos de cimitarra, mientras las aldeanas más hermosas interpretaban la danza del vientre y desplegaban el milenario encanto de las mujeres moras.

Los orígenes árabes de quien ocupó la Presidencia entre 1978 y 1982 fueron muchas veces objeto de burla y descalificación del nuevo mandatario. Pero la verdad es que, lejos de quitarle crédito, le confieren el mérito de la lucha que debe atravesar toda persona que se ve obligada a mudarse a un país extranjero. Turbay, tan colombiano como

el que más, intentó compensar las críticas absurdas que
se formulaban a sus orígenes árabes aduciendo el hecho
de que sus tatarabuelos maternos, los Ayala, llegaron entre
los primeros desembarcos españoles de la Conquista. Un
error, a mi juicio. Esto sólo querría decir, observado desde
otro punto de vista, que los Ayala mataron indios y los
Turbay no. Punto a favor de los Turbay. Para ser sinceros,
lo único malo de las fiestas de Tanurine es que no nos
dieron tiempo para ir a gozarlas. Lo demás son pendejadas.

Con una apretada victoria sobre su contendor, el intelectual Belisario Eufrasio Betancur Cuartas, «paisa y conservador de izquierda, para servirle», Turbay coronaba una
larga carrera política que empezó como manzanillo en los
mentideros de concejales, fue y volvió muchas veces del
Directorio Liberal, pasó a los salones del Congreso, mojó
ministerio, conoció embajada y vibró en posesiones tan
pomposas como temporales de la Presidencia de la República en calidad de encargado de la silla.

Turbay tuvo que enfrentar muchos obstáculos antes de
alcanzar su meta de dormir en Palacio como inquilino
permanente y no como cuidandero ocasional. Llegaron a
decirse contra él terribles infamias, y alguna vez una de
ellas ascendió hasta los muros callejeros. Esta circunstancia
motivó un famoso e iracundo discurso suyo en el cual
criticaba a sus recónditos enemigos por no tener el valor
de dar la cara. «Es que no son suficientemente hormonados
y testiculados», dijo.

Esta frase obligó a cambiar el pénsum de estudios de
la educación primaria. Fue preciso incluir en él clases de
educación sexual, porque los niños no entendían qué sig-
nificaban esas dos palabras que pronunciaba el hombre
más importante del país. Lo de los *hormonados* resultó
un poco más suave de explicar. Pero al llegar al aparte de
los *testiculados*, la curiosidad de los chinos no se conte

taba con palabrería científica acerca de las gónadas y la espermogénesis. Querían ejemplos.

Lo peor fue cuando millones de niñas que, por razones obvias, entendían menos que nadie de qué les estaban hablando, pidieron a las profesoras que ilustraran la lección con dibujos o, mejor todavía, con muestras vivas del tema materia de estudio. Abochornada ante la perspectiva, la Asociación de Mujeres Maestras se dirigió entonces al señor presidente y le solicitó que él mismo, como guía de juventudes y líder de ciudadanos, se tomara el trabajo de explicar en una alocución televisada aquello que los escolares no alcanzaban a comprender.

Por fortuna, el jefe del Estado no le puso bolas al asunto y el gobierno sorteó con éxito la que habría podido ser su primera gran crisis.

Esta llegó, sin embargo, a raíz de los avances de la subversión y la respuesta represiva que ofrecía el ejecutivo. En septiembre de 1978, el gobierno dictó un famoso Estatuto de Seguridad empastado en color verde oliva que, en síntesis, decretaba prisión general preventiva para todo ciudadano, a menos que pudiera demostrar que no estaba conspirando contra el Estado, ni tenía malos pensamientos respecto a las instituciones democráticas. Se pusieron de moda, como centros de reclusión y tortura, las caballerizas de los cuarteles de Usaquén. Hasta los caballos se indignaban con lo que oían y veían.

Los subversivos no tardaron en responder a estas actuaciones con un robo de armas que corrió por cuenta del M-19. Esta organización había nacido como marca de purgantes en 1974 y resolvió diversificarse después. Para ello ingresó en el siniestro negocio del tráfico de armas. Su debut se produjo con el robo de la espada del Libertador Simón Bolívar, pero al cabo se dio cuenta de que las armas blancas —y ésta ya estaba amarilla, por el paso del tiempo— tenían poca salida en el mercado clandestino de armamentos. Años después modernizó sus aspiraciones y llegó a encargar por catálogo buques de combate, bombarderos Stealth y portaviones. El M-19 estaba dirigido por un costeño imaginativo y cheverón llamado Jaime Bateman, que después iba a perecer en un accidente aéreo.

Por desgracia, no todos los actos del grupo eran tan imaginativos ni tan cheverones como su jefe, ni tan inofensivos como los falsos anuncios de prensa para promover el laxante M-19, o el robo de la vieja espada de Bolívar. El M-19 también cometió secuestros y asesinatos, y en 1985 incurrió en el más grave y sangriento de sus errores, que fue la toma y subsiguiente masacre del Palacio de Justicia.

En enero de 1979, sin embargo, la organización se limitó al robo subterráneo de unos cuantos cientos de armas depositadas en los galpones del ejército en Usaquén. La operación fue de película, pero de película mala. Se supo en ese momento que detrás del rótulo de marxista que le adjudicaban al M-19 no estaba Carlos Marx sino Groucho Marx. Porque, después del espectacular robo, los guerrilleros dejaron decenas de pistas, desde tarjetas de visita hasta mapas y facturas, que permitieron al gobierno recuperar las escopetas a medida que iban llegando al escondrijo.

Meses después, M-19 y ejército volvieron a verse las caras cuando un grupo guerrillero ocupó la embajada de República Dominicana, donde se celebraba un coctel, y retuvo allí a un ramillete de embajadores. La idea era permanecer atrincherados en la sede diplomática meses, incluso años, con lo cual los guerrilleros pretendían evitar el costoso pago de alquileres y servicios. Pero se encontraba en tan mal estado la casa, con los inodoros atascados, la cocina sucia, la despensa vacía y goteras en la sala, que,

al cabo de algunas semanas, los guerrilleros rogaron a los militares que los sacaran y manifestaron que preferían irse para Cuba:

—Allí hay escasez, pero al menos no nos toca aguantarnos al embajador de Uruguay —dijeron.

El gobierno atendió sus peticiones y Turbay Ayala se anotó un éxito, a punta de prudencia y tacto. Los sectores más duros habían pedido que bombardeara la residencia con napalm, deslizara serpientes cascabel por la tubería del acueducto y colara caimanes por la del alcantarillado.

Turbay había prometido llamar a su gobierno a «los más capaces y los más honestos». Lo que no prometió es que no se colarían también muchos de los otros. Alarmado por la extensión de la indelicadeza administrativa, el presidente anunció que estaba resuelto a reducir la corrupción «a sus debidas proporciones». Con tal fin creó una comisión que llegó a la conclusión de que las debidas proporciones no podían ser más de 6.9% de comisión por cada contrato; sin embargo, sus miembros fueron sobornados y la comisión acabó aceptando hasta un 27.8% sin licitación y un 32.6% con ella.

Turbay se despidió de la presidencia con una larga serie de fiestas que empezaron tres años antes de que terminara su período. Sus múltiples amigos lo agasajaron por turnos en 674 municipios del país. Nunca faltaban la orquestica simpática o el trío de serenateros dispuestos a cantar aquello de

no es más que un hasta luego,
no es más que un breve adiós.

Después tocaban «Sopita de caracol», «A mover la colita», «El polvorete» y otros aires en boga. Una de esas despedidas, que tuvo lugar en un club social de Cúcuta, indignó a la curia local, que estaba poco acostumbrada a que se bailaran los ritmos calientes sobre las mesas en la adusta región natal de Francisco de Paula Santander, donde ni siquiera eran bien vistos el viejo rondó y la contradanza. El obispo de la diócesis dio a conocer una homilía en la que invitaba al recogimiento, clamaba por la austeridad, desaprobaba las «celebraciones profanas», condenaba «los consumos etílicos», censuraba «la música vulgar» y pedía que no se repitieran estas «fiestas pantagruélicas».

Cuando el cardenal de la época, que también tenía los títulos de Mariscal General y Comandante Supremo de las Almas Militares, le leyó al presidente la homilía del obispo de Cúcuta, Turbay escuchó sin mosquearse el regaño y al final se limitó a decir con su acento nasal:

—No estoy de acuerdo con las palabras del obispo, Su Eminencia. Fiestas, lo que se dice fiestas, las de Tanurine...

Un día se acabaron los municipios y se acabaron también las fiestas de despedida. Coincidió con el 7 de agosto de 1982, fecha en la cual Turbay Ayala hizo entrega de la banda y el corbatín presidenciales a quien acababa de derrotar en las elecciones a López Michelsen. Se trataba de una cara conocida: la del intelectual Belisario Eufrasio Betancur Cuartas, «paisa y conservador de izquierda, para servirle».

# ¿SÍ SE PUEDE?

La llegada al poder del intelectual Belisario Eufrasio Betancur Cuartas, «paisa y conservador de izquierda, para servirle», fue una demostración tangible de las virtudes de la perseverancia. Desde 1910, cuando lo venció Carlosé Restrepo, venía presentándose a las elecciones presidenciales sin conseguir ganarlas. Pensando que el problema estaba en el nombre —pues el único Belisario que recordaba el país era un personaje de *María* que evidentemente estaba muerto[1]—, el simpático e inteligente antioqueño de Amagá ensayó a cambiarse varias veces el apelativo. En los comicios de 1926 se presentó como B. Betancur; en los de 1946 como Betancurcuartas; en los de 1970 como Simplemente Eufrasio; y en los de 1978 como Bélico. En todos ellos resultó derrotado.

---

1. La prueba es un poema de Jorge Isaacs titulado «La tumba de Belisario», que, por consideraciones con el lector, no transcribiremos aquí.

Finalmente, en los de 1982 se lanzó bajo el nombre de
BB. Su lema de campaña era «Sí se puede». Y esta vez
sí pudo: consiguió una estrecha victoria sobre López Michelsen, que aspiraba a seguir japonizando al país con el
señuelo del *Remandato claro*. Se dice que muchos de los
votos a favor de BB fueron depositados por varones nos-
tálgicos para los cuales la doble inicial traía un recuerdo
subliminal, y hasta gráfico, de las curvas de Brigitte Bardot.
Es posible que así sea. Pero ganó.

Belisario, «paisa y conservador de izquierda, para servirle», era una amable mezcla de intelectual greco-latino
y antioqueño de todo el maíz. Había echado dados con el
mariscal Jorge Robledo, comido frijoles con Tomás Carrasquilla, pelado plátano maduro con Epifanio Mejía, be-
bido aguardiente con Porfirio Barba-Jacob, piropeado
muchachas con Gregorio Gutiérrez González, rasgado tiple
con el maestro Carlos Vieco, embaucado bogotanos con
Efe Gómez, jugado al tute con León de Greiff, arriado
mulas con Fernando Botero, entonado bambucos con Jaime
R. Echavarría, desenguayabado con Manuel Mejía Vallejo
y recitado a dos voces con Carlos Castro Saavedra.

Un amigo suyo que conoce bien su amor por la patria
chica y la poesía le compuso una vez un romance que,
con autorización del autor y con nuestra vehemente reco-
mendación de lectura, copiamos aquí:

*¡Viva mi pabellón!*

Bambuquito y aguardiente
van por mis venas abiertas.
Frisóles, refajo, chicha,
chunchullo, tiples, rellenas...
Siento subir sangre arriba
agüepanela y mollejas

y bajar mulas y arrieros
con mi noviecita buena.
El tricolor colombiano
también circula por ellas:
alpargatas, niguas, ruanas,
juanetes, carriel, máiz peto,
torbellinos, papas criollas
tropiezan en mis arterias,
y chinchorros y gualdrapas
me suben por la entrepierna.
Armadillos y chigüiros,
machetes, mangos con pepa,
fondas, zurriagos, corroscas,
zorras, chivas y busetas.
Leucocitos con cotizas,
glóbulos blancos con leña
y bambucos (¿ya lo dije?)
van cantando por mis venas.
Si a mí me abrieran el pecho
para atisbarme por dentro
¡descubrirían un infarto
de mazamorra y arepas!

El nuevo inquilino del Palacio de Nariño lo primero
que hizo fue cambiar la decoración. Donde había gobelinos
tristes mandó colgar cuadros de Fernando Botero, y reemplazó los adustos pebeteros por bacinillas sembradas de
geranios. El renovado escenario le permitió organizar periódicos conciertos y recitales donde desfilaron los mejores
autores y artistas colombianos, desde el inolvidable maestro
Eduardo Carranza hasta los Cuentachistes. Debido al pru-
rito regionalista de Belisario, los pasabocas eran poco ape-
titosos —arepa con caviar, patacones con *paté de foie gras*
y natilla con trufas—, pero la gente gozaba de lo lindo

en estos programas que, a diferencia de los de la televisión, no sufrían interrupciones por cortes comerciales.

Después de haber dado nueva vida a Palacio, Belisario se dedicó a remozar el país. Lo primero que hizo fue buscar la paz. Era un paso sorprendente y audaz en un país desgastado por guerras y represiones. La paz básicamente consistió en que todos los colombianos salían un domingo a la calle a dibujar palomas en paredes, ventanas, puertas, techos, pisos, entresuelos, zócalos, bajantes, tabiques, mampostería, voladizos, sardineles, cornisas, tejados, dinteles, umbrales, antepechos, encofrados, bóvedas, baldosines, columnas y cimientos. La Plaza de Bolívar fue el epicentro de la paz dibujada. Hasta a las palomas de la plaza les pintaron palomas de la paz en las alas.

Sin embargo, la paz no llegaba. Pero aseguraba el presidente que sí se podía.

El segundo paso fue crear un Gran Diálogo Nacional con la guerrilla, a instancias de una propuesta del M-19. Para ello, los más importantes frentes de combate suspendieron operaciones e instalaron sillas cómodas y mesas de conferencias en campamentos selváticos a los cuales podía acercarse todo el que quisiera participar en el Gran Diálogo. Allí se hablaba de economía, de actualidad internacional, de fútbol, de mujeres, de historia, de las princesas de Mónaco, de las películas de moda, de recetas de cocina, de ciclismo, se contaba el último chiste, y, si no estamos equivocados, incluso hubo alguien que alguna vez intentó hablar de la paz.

Sin embargo, la paz no llegaba. ¿Sí se podría?

Los jefes guerrilleros se convirtieron en personajes nacionales. El M-19 exhibió un grupo de dirigentes jóvenes —hombres y mujeres— que de inmediato entraron a formar parte de los sueños eróticos de muchas y muchos colombianos. La cadena Caracol le propuso a Manuel Marulanda, el legendario *Tirofijo*, que fuera protagonista de su próxima telenovela, pero ya *Tirofijo* tenía contrato de exclusividad con RCN para anunciar gaseosas. Los programas de radio matutinos se disputaban las declaraciones de los *comandantes* —nuevas figuras de la farándula nacional—, y las más hermosas actrices llegaban hasta La Uribe, el campamento más *in*, para tomarse fotos con ellos. Se pusieron de moda la toalla al cuello, a la usanza de *Tirofijo*, y la bufanda blanca y negra del comandante Jacobo Arenas.

Sin embargo, la paz no llegaba. Mmhhh... ¿sí se podría?

De hecho, mientras se surtía el proceso de paz, para no desacostumbrarse, ejército y rebeldes seguían trenzados en feroces combates. Surgieron nuevas agrupaciones que, interesadas en participar en el proceso de paz, creaban sus propios frentes de guerra. Al cabo de unos meses, el gobierno se vio obligado a imprimir un Directorio Nacional de Guerrillas para que las personas vinculadas al proceso no perdieran el hilo. En él aparecían, por orden alfabético, todos los grupos guerrilleros con sus representantes y teléfonos.

El paso siguiente fue una amnistía general, que logró bajar mucho el tono a la guerra, pero tampoco pudo acabar con ella. No. No se había podido.

Mientras tanto, y como el país reclamaba la atención de otros asuntos, el presidente Belisario se enfrentó a los poderosos grupos financieros y económicos que en los últimos años se habían adueñado de algunos pequeños resortes de la economía nacional: la banca, la industria, el comercio y los medios de comunicación. Los banqueros indelicados fueron a parar a las cárceles todavía tibias que acababan de dejar los guerrilleros. En los muros de muchas celdas aún colgaban retratos del Che Guevara, Marx y Lenin, que fueron presurosamente sustituidos por Nelson Rockefeller y Jean-Paul Getty.

Belisario también imprimió un conveniente viraje a la política internacional. Creyéndose de mejor familia que sus vecinos, en el gobierno anterior Colombia le había volteado la espalda a América Latina y el Tercer Mundo y se había alineado con Jamaica, Islas Caimán, Barbados y Estados Unidos. Si no participó en la guerra de Las Malvinas al lado de los ingleses y contra los argentinos, fue porque en ese momento no tenía fragatas disponibles: casi todas estaban persiguiendo al buque *Karina*, del M-19, que había viajado a punta de señas desde Hamburgo hasta el Caribe, cargado de armas, y se aprestaba para un naufragio revolucionario. Con Belisario volvimos a nuestro círculo natural de amistades y dejamos de pretender ser la ovejita blanca del rebaño oscuro.

Como se sentía parte del riñón popular, Belisario se preocupó siempre por hacer gestos que lo mantuvieran cerca del pueblo. Sus frecuentes viajes en bus urbano desde el Palacio de Nariño a recepciones diplomáticas e inauguraciones retrasaban reuniones oficiales, paralizaban la administración y ponían en aprietos a los agentes de seguridad, que no tenían ni idea dónde estaba el presidente. Pero a él le permitían untarse de realidad nacional. Al cabo de una o dos horas de espera angustiada, los embajadores, ministros y guardaespaldas lo veían descender muy orondo de una flota Usaquén, comiendo chicharrón y bogando gaseosa, frente a la sede diplomática donde se celebraba el acto.

El gobierno de Belisario Eufrasio Betancur Cuartas, «paisa y conservador de izquierda, para servirle», estuvo lleno de buenas intenciones y cumplió mientras pudo y mientras lo dejaron. Pero después, aparte de sus propios errores, conspiraron contra él demasiadas cosas como para que el jefe de Estado pudiera retirarse satisfecho a la casita de Amagá donde lo esperaban el Dueto de Antaño, Cosiaca,

Montecristo y sus 27 hermanos. Los narcotraficantes aumentaron su sevicia y su violencia; la soberbia del M-19 y la desmedida respuesta del ejército provocaron la masacre del Palacio de Justicia; y, como si faltaran tragedias, Armero fue sepultada por un monstruoso alúd de barro.

BB entregó el poder con una sensación de frustración y sufrimiento. Había entrado cuatro años antes con el cabello negro y ahora salía con la mitad del pelo cano. Su sucesor, para ahorrarse este duro proceso, al posesionarse tenía ya en la cabeza un matorral que, de lo puro blanco, hacía creer a los niños que el presidente criaba conejos y que los conejos asomaban las manitas por las orejas de su dueño.

La verdad es que el nuevo presidente tenía un criadero de problemas, no de conejos. Lo iban a descubrir los ciudadanos a partir del mes de agosto de 1986.

## EL HOMBRE QUE CRIABA PROBLEMAS

Virgilio Barco Vargas, el hombre del pelo blanco en la cabeza y las orejas, fue elegido con un récord de votación liberal. La explicación radica más en la repelencia de su rival (el viejo Coco Junior, Alvaro Gómez Hurtado) que en alguna atracción particular que él pudiera ejercer. Hasta el expresidente López Michelsen, cuando lanzó su candidatura, había dicho con evidente desgano:

—¿Si no es Barco, quién?

Si no era Barco, habría tenido que ser alguno de los liberales jóvenes, de la generación posterior al Frente Nacional. Pero el partido consideraba que era preciso terminar la prolongada y vieja fila india de candidatos que venía desde los tiempos de Olaya Herrera. Aunque con algunos años menos que los grandes caciques liberales, Barco había empezado a figurar en política hacía muchos decenios. Tantos que cuando comenzó todavía tenía oscuro el cabello y ni siquiera le habían brotado las orejas, para no hablar de los pelos de las orejas.

Barco tenía fama de no ser un político sino un técnico, condición avalada por el hecho de que había estudiado ingeniería en Estados Unidos. El que lo escuchaba llegaba siempre a esta conclusión. Hablaba como los técnicos cuando los técnicos hablan trabado. Su condición de experto en obras públicas lo impulsaba a suprimir curvas, buscar atajos, intentar recortes y abreviar caminos, incluso en sus frases. Por eso sus discursos aparecían entrecortados y sus declaraciones se atropellaban. Esto resultaba particularmente complicado cuando, al interpretar al Himno Nacional, terminaba dos minutos antes que los demás:

> ¡Oh glocible, oh jubmal
> En surcores, el bigernaya
> ¡el biii-geeer-naaa-yaaá...!

Su compenetración con el mundo anglosajón llegó a ser tan profunda, luego de su paso por el prestigioso Instituto Tecnológico de Massachusetts (MIT), que, en una extraña versión de *El retrato de Dorian Gray*, sus facciones parecían cada vez más las de un primer ministro inglés. En una visita de Barco a Londres, durante la cual fue recibido por el jefe del gobierno británico, la prensa local entrevistó al otro, creyendo que el titular era Barco. Su dominio del inglés le permitió llegar a ser *perfectamente* monolingüe, pues consiguió hablar *perfectamente* a medias el español y *perfectamente* a medias el inglés.

Barco había pasado a la historia como uno de los mejores alcaldes de Bogotá. Le correspondió remozar la ciudad para la llegada de Pablo VI en 1968 y durante su administración se extendió el alumbrado público y se construyeron puentes, nuevas avenidas y parques. De aquella época surgió la idea de que podría ser quizás tan buen presidente como alcalde.

En realidad, el gobierno de Barco no fue un mandato; fue una tragedia griega. No hubo hecho lamentable, desgracia importante, infortunio doloroso que no ocurriera durante su período. Por supuesto que, en su inmensa mayoría, no son males atribuibles al ingeniero cucuteño, sino a otras circunstancias. Principalmente, la violencia atroz y el terrorismo desatados por los narcotraficantes, los guerrilleros, los paramilitares y, en muchos y muy alarmantes casos, por miembros de las fuerzas armadas y la policía. Pero la imagen de Barco está asociada inevitablemente a una época de calamidades.

La peor de todas ellas fue el asesinato de Luis Carlos Galán, el más valioso, carismático y valeroso líder nacional surgido en la segunda mitad del siglo, cuya desaparición nunca acabaremos de llorar. Pero también murieron asesinados durante esos cuatro años otros tres candidatos presidenciales y cerca de sesenta mil colombianos más; se produjeron varias masacres, fueron eliminados sistemáticamente cientos de militantes de izquierda y florecieron los atentados, el secuestro y la extorsión.

El nivel de violencia dejó a los colombianos sin habla, y lo peor es que al presidente también. Barco se encerró en un mutismo que sólo quebraba a veces para leer discursos e intervenciones en público. Solían ser documentos mucho más largos o mucho más cortos que lo normal, pues no era extraño que, además de los atajos y recortes habituales en él, leyera más de una vez una página o se saltara otra. Ante los silencios presidenciales, adquirieron enorme fuerza sus asesores. Fueron ellos quienes acabaron gobernando al alimón, y no eran propiamente los que más acertaban ni los que le ahorraban escándalos.

Un fátum inclemente acompañaba al presidente por donde quiera que iba. Visitó a Corea del Sur, y allí tuvo que ser sometido a una operación de urgencia en el intestino.

Estuvo en Lisboa, y padeció una hemorragia nasal que hizo indispensable su paso por una clínica. No podría decirse que tenía mala imagen en el exterior, pero, para completar, país que visitaba era país que poco después empezaba a pedir visas a los colombianos. Así ocurrió durante una frustrada y frustrante correría por Europa que se vio obligado a interrumpir en Italia. Semanas más tarde, Portugal, Francia y Bélgica establecían la visa para los colombianos.

El presidente intentaba hacerlo lo mejor que podía, pero las fuerzas que se habían desatado en el país eran superiores a la capacidad del gobierno para controlarlas. La única fuerza que resultó disminuida durante la administración Barco fue la fuerza eléctrica. Las obras de construcción de la hidroeléctrica de El Guavio, que empezaron en 1981, se convirtieron en la catástrofe estelar de los gobiernos de los ochentas. Según la prensa, se trata del «mayor descalabro económico y el mayor error gerencial» de la historia de Colombia. Es posible, incluso, que clasifique para las semifinales de descalabros en América Latina. Habría resultado más barato llegar a la luna con un cohete diseñado en Chaparral, y quizás el país habría obtenido más electricidad de allí que de El Guavio.

Era un problema heredado, con metidas de pata que abarcan a varias administraciones anteriores, pero que salpicaron también a la de Barco. El Guavio pretendía ser la solución de la demanda de energía del centro del país, y terminó volviéndose la feria de la ineptitud y la corrupción. Lo que mejor funcionó en este proyecto fueron los serruchos eléctricos, que empezaron a trabajar desde un principio.

La campaña presidencial que remató la administración Barco no fue menos trágica que su gobierno. Pero de allí salió, al menos, un relevo generacional. El salto fue grande.

De un presidente viejo escogido por viejos, se pasó a un presidente joven elegido por niños. Las nuevas reglas internas de selección del partido liberal, unidas a las circunstancias especiales y dolorosas de la campaña, permitieron que, con el espontáneo e inesperado respaldo del hijo mayor de Galán —un muchacho muy inteligente al que aún no dejaban entrar a películas para mayores de 18—, saliera elegido César Gaviria Trujillo, exministro y economista de la generación del *Pereiran rock*.

---

# OPERACIÓN JI-JÍ

El país experimentó una sensación nueva y refrescante, como la que dejan los dentífricos con mentol, cuando al solemne Palacio de Nariño entraron un presidente en la flor de los cuarenta, una primera dama en los treinta y pico y dos niños, Simón y María Paz, que casi olían aún a compota y babero.

La casa presidencial empezó a transformarse. Donde había permanecido un antiguo grabado del siglo XVII colgaba ahora un poster de Bruce Springsteen; en la vitrina de los documentos históricos aparecían carimañolas, galápagos, pedales, cascos, guantes y otros elementos de ciclismo; una gran foto del grupo «No me pises que llevo chanclas» había entrado a reemplazar el gobelino de cacería francesa del Salón Santander.

Un veterano exministro que visitó una mañana de esas el Palacio y escuchó risas y estrépito de música *rock* en los despachos, comentó con sorpresa:

—En mis tiempos, los hijos del jefe del Estado permanecían en la casa privada...

—El del barullo no es el hijo —le comentó la persona que lo guiaba—. Es el presidente. El hijo está allí, en la biblioteca, haciendo las tareas escolares.

Unos metros más adelante, cuando el exministro entró a la antesala del despacho presidencial, notó que había allí un ciclista que charlaba y reía con un grupo de niños, y compartía con ellos colombinas y caramelos.

—En mis tiempos, los mensajeros dejaban la correspondencia en el primer piso —comentó en voz baja el exministro observando al ciclista.

—No es un mensajero —le respondió el guía—. Es el señor presidente, que regresa de sus ejercicios matinales.

El exministro, abochornado, intentó decir algo que cerrara el incómodo tema.

—En fin —comentó—, en mis tiempos las visitas de colegiales al Palacio de Nariño se realizaban por la tarde, no por la mañana.

—No son colegiales —le aclaró el guía—. Son los asesores del señor presidente.

Gaviria había llegado dispuesto a mostrar que no en vano pasaba a ocupar el poder una nueva generación. Su permanente animación, que salpicaba con frecuentes carcajadas en tono de *ji-ji-jí,* contrastaban con los silencios de la administración anterior. Los *¡yeah, yeah!* que se escuchaban durante el consejo de ministros espantaban un poco a los viejos ujieres de Palacio, acostumbrados a caminar en puntillas y hablar en voz baja. Los bluyínes reemplazaron a los sacolevas en las ocasiones formales, y la ropa deportiva a la de paño y corbata en todas las demás. No era extraño toparse con un joven que, enfundado en sudadera verde y roja, se contoneaba mientras oía merengues en el *walkman,* mascaba chicle y colocaba los zapatos tenis marca Nike encima de la mesa. Era el jefe de protocolo de Palacio.

## El país sin puertas

Excusada su afición al *rock* y al ciclismo, y el típico *ji-ji-jí* un poco chillón y estentóreo de su risa, el nuevo presidente parecía ser un tipo tímido y bastante frío. Durante sus mocedades, cuando se ponía balaca de *hippie* en las fiestas, lo habían conocido en Pereira como «El Hielo» Gaviria. Era ducho —un ducho de agua yerta— en economía, y una de sus metas al frente del gobierno consistía en lograr la apertura comercial del país. Quería ser fiel al lema de su patria chica; si Manizales se las daba de ser «la ciudad de las puertas abiertas», Pereira siempre había proclamado ser «la ciudad sin puertas». Por eso muy pronto Gaviria derribó las puertas de las fronteras colombianas: decretó la libertad de importaciones y puso fin a las restricciones aduaneras.

El resultado fue que el país se llenó de artículos de consumo. Achiras, milhojas y garullas hechas en Corea con harina artificial inundaron las calles y provocaron una ola de desempleo en las bizcocherías. Longanizas, chunchullos y morcillas *made in Hong Kong* con tripa de vinilo desplazaron a los productos genuinos y a los carniceros que las fabricaban. Tamales y sancochos precocidos en Taiwán con masa de soya provocaron la quiebra de varias guisanderías tradicionales. Se produjo una verdadera invasión de chicles, chitos, papas fritas, manimotos, palillos de dientes, servilletas de papel y otros artículos de novena necesidad.

Expertos internacionales en comercio exterior atribuyen la libertad de golosinas —chicles, chitos, etc.— a María

Paz, la traviesa y simpática hija del presidente, que no se perdía reunión de gabinete, convocatoria urgente del Consejo Nacional de Política Económica y Social ni otras ocasiones de gobierno. La infatigable niñita saltaba lazo sobre la mesa en las reuniones de la Junta Monetaria, irrumpía con su triciclo en la presentación de honores militares, depositaba su muñeca en el regazo del ministro de defensa mientras ella iba a hacer pipí durante las sesiones urgentes del Consejo de Seguridad y llamaba por teléfono a los presidentes de otros países del mundo. Solía hacerlo por cobro revertido o pago *collect,* por lo que, al final del mandato del papá, los jefes de Estado extranjeros se le mandaban negar. Se cree, pues, que la firma a lápiz que aparece untada de dulce al pie del decreto sobre liberación de importación de caramelos es la suya.

El primer taita del país no la reprendía jamás, pero no por falta de convicción sobre la necesidad de la autoridad paterna, sino porque el pobre generalmente estaba lesionado y le era imposible alcanzarla para darle un par de palmadas. Cuando no era una rodilla torcida por culpa del tenis, era un brazo enyesado por un mal salto de garrocha o una torcedura del cuello a raíz de una caída del trapecio. Además, tenía mala suerte: una mañana se zafó la bicicleta fija del gimnasio de Palacio y acabó estrellándose en Muzú con una volqueta cargada de papa. Resultado: un ojo colombino, una clavícula rota y una venta barata de puré de papa en Muzú.

Los colombianos sedentarios o de mayor edad se mostraban un poco sorprendidos por los despliegues de actividad deportiva del presidente Gaviria. Pero cuando lo vieron con el atuendo de campeón de velódromo —pantalón corto forrado, casco aerodinámico, camiseta con bolsillos para la panela y gafas negras tipo *Guerra de las Galaxias* regaladas por Lucho Herrera—, no pocos cachacazos de paraguas Briggs y zapato de ante echaron de menos los silencios ausentes del mandatario anterior.


## ¡Clic!

Sin embargo, el país parecía bastante contento con el primer presidente *rock* de la historia. Su popularidad sólo decayó cuando tuvo que enfrentar dos adversidades que le dejaron el prestigio en ruinas durante algunos meses: el racionamiento de luz y la fuga del narcotraficante Pablo Escobar.

Este se encontraba recluído desde hacía meses en la cárcel de Itagüí, que figura en la Guía Michelin con cinco estrellas. Una noche, invitado a hacer el saque inicial en un partido de fútbol, Escobar sobornó a un grupo de policías con una arepa de choclo para que le permitieran huir al estadio con sus compañeros de encierro. Su fuga duró dieciocho meses y acabó de manera trágica. En cuanto a los policías, las autoridades les decomisaron el choclo.

El apagón fue un calvario de año y medio para los colombianos. Por culpa de los errores administrativos y los serruchos de El Guavio, a los cuales se agregaron la imprevisión posterior y el verano (95% imprevisión y 5% verano), el país se quedó sin luz. La ciudadanía demostró entonces esa capacidad de sobrevivir que ha hecho de Colombia el único país del mundo habitado por 33 millones de faquires. Los colombianos cocinaban en las iglesias con las velatorias encendidas a San Judas Tadeo, calentaban los teteros con fósforos, se bañaban en el agua caliente que quedaba en la olla después de hervir coliflores, y muchos estudiantes acudían a las clínicas de maternidad para poder leer durante los alumbramientos.

A fin de ayudar a aliviar este forzoso regreso a las cavernas, Gaviria cambió el reloj; ya no amanecería a las 5 a.m. sino a las 4 a.m. y, si la medida daba resultado, cada mes se atrasaría 60 minutos el horario. De este modo, al cabo de un tiempo, nadie podría quejarse de la oscuridad que se apoderaba del país después de las seis de la tarde, pues todos dormiríamos bajo la vigilancia protectora del sol. Con la ventaja adicional de que disminuirían los atracos y robos perpetrados a la luz del día. Molestos con el cambio de horario, ya que los gallos comenzaron a saludar la alborada al mediodía, los campesinos sugirieron a Gaviria que aplicara primero la medida a título experimental en el Palacio de Nariño por dos años, y luego la extendiera como ensayo a la muy noble ciudad de Pereira durante cincuenta años más. Si al cabo de este tiempo los resultados eran positivos, el país estaba dispuesto a adoptar el meridiano de Gaviria en vez del de Greenwich.

## La encartada magna

Muchos culpaban de la crisis energética a la Constitución de 1991, porque decían que el debate de su articulado había agotado las luces de la clase dirigente nacional reunida en la Asamblea Constituyente. La nueva carta fue una iniciativa de Luis Carlos Galán que Gaviria canalizó, concertó y sacó adelante.

Ella vino a poner fin al reinado de la carta de 1886, y es tan moderna que el país aún no ha podido aplicarla. Por ejemplo, muchos ciudadanos no se han enterado de que ahora todos somos iguales —hasta las mujeres... ¡y los indios!—, que ya no se puede matar más de una vez a nadie y que fumar marihuana o darle en la jeta a la señora puede considerarse parte del derecho al *libre de-*

*sarrollo de la personalidad.* (Artículo 16). Por otra parte, el artículo 20 garantiza «la libertad de expresar y difundir pensamientos y opiniones, informar y recibir información veraz e imparcial y fundar medios masivos de comunicación», a menos, eso sí, que se trate de un pobre pendejo y no de un grupo económico. En ese caso —el del pobre pendejo— sólo tendrá derecho a comprar una suscripción anual con descuento o participar en las rifas que promueva la emisora o cadena de televisión.

En cambio, cualquier colombiano, por pobre que sea, puede aspirar —como quedó demostrado— a que le asignen una concesión para la telefonía celular. Y a que lo derroten estruendosamente los grupos económicos, como también quedó demostrado.

La nueva Carta Magna no hablaba de la primera dama. Pero el resto del país sí. A muchos ciudadanos les gustaba que hubiera en Palacio una ejecutiva joven, bonita e inteligente dispuesta a trabajar por Colombia, a llevar la voz cantante en ciertas áreas del gobierno e, incluso, a permitir que su esposo le ayudara en el manejo de los asuntos nacionales. Pero otros ciudadanos veían con desconfianza la institución de la Primera Dama, en la cual hubo casos anteriores de señalado dinamismo, como doña Nydia de Turbay. La reflexión de este sector de la opinión pública es más o menos la siguiente: la institución más duradera de la Tierra es el papado, y no es una coincidencia que los papas no tengan cónyuge.

Naturalmente, se trata apenas de una coincidencia que utilizan mañosamente los reaccionarios para atacar la institución de la Primera Dama, pues hay otras instituciones de muy antigua data que funcionan de manera espléndida gracias al aporte que hace la mujer en el poder.

Estoy seguro de que podríamos citar muchos ejemplos pertinentes.

Es cuestión de tener un poco de tranquilidad para recordarlos.

Y un poco de tiempo.

Pero con seguridad abundan los casos.

Varios podremos citar, al menos.

Bueno: si uno se dedica a buscarlo, seguramente aparecerá alguno.

Pero, en fin, como no es ese el propósito de este libro, consideramos que los ejemplos anteriores bastarán para destruir la tesis de los reaccionarios.

Uno de los más comentados gestos de cariño de Ana Milena de Gaviria con el primer mandatario fue una serenata de música vallenata que le dio a manera de sorpresa cuando el presidente festejó su último cumpleaños a bordo de la nave del Estado. Los vallenatos llegaron a bordo de otra nave, también del Estado, que fue un avión oficial, por lo cual a Gaviria le llegó una cuenta de más de tres millones por concepto de transporte de músicos. El presidente disfrutó de la parranda, puso a competir su «ji-ji-jí» con el «¡ay, hombe!» de Carlos Vives, agradeció el regalo a Ana Milena, giró el correspondiente cheque a la FAC y le dijo a su esposa:

—Vea, mija, el próximo cumpleaños me lo festeja sólo cuando cumpla los setenta y cinco, ¿oyó?

Hacia el final del *Mandato rock* aparecieron publicadas las revolcadas memorias de un tal M. Vargas, quien afirma que en realidad el presidente era él, y que Gaviria no era más que uno de sus asistentes. M. Vargas era apodado *Cacaíto* por sus colegas y compañeros de oficina. El sobrenombre se debía por lo menos a dos razones: la primera, que, aunque él no lo creía así, todavía necesitaba varios hervores; y, la segunda, que tenía fama de ser más traicionero que un chocolate crudo. Podría haber una tercera razón, de orden etimológico, pero no existe certeza sobre ello.

En sus memorias, *Cacaíto* Vargas relata que era él quien nombraba ministros, ofrecía cargos, tomaba del pelo a los candidatos que aspiraban a ganar su apoyo, preparaba los discursos, diseñaba las estrategias generales del gobierno, hablaba con los presidentes de otros países, trazaba los rumbos de la administración, despedía a los empleados que no eran de su gusto, presidía las reuniones, echaba los mejores chistes, despertaba las mayores pasiones y decía las cosas más inteligentes.

Después de haber ocupado varios cargos en la administración cuyos trapos salía a exhibir al sol, *Cacaíto* resolvió marcharse cuando se dio cuenta de que había logrado su ansiada meta como ministro: la unión de los colombianos. En efecto, el país entero —incomunicado del mundo— se había unido para pedir clamorosamente que se fuera *Cacaíto*.

El presidente Gaviria terminó su período en medio del amplio reconocimiento de los ciudadanos y con los más altos índices de popularidad que haya tenido mandatario alguno de Colombia en muchas décadas.

En cuanto a María Paz, montó casa de muñecas en el despacho del secretario general de la OEA, en Washington.

# EPÍLOGO

En mayo y junio de 1994 se celebró por primera vez en Colombia la elección presidencial a dos vueltas. Compitieron cerca de veinte candidatos, de los cuales los más fuertes eran el liberal Ernesto Samper Pizano y el conservador Andrés Pastrana Arango.

Los votantes analizaron y compararon programas, trayectorias, experiencia, peinados y hermanos y, atendiendo principalmente a este último factor, fue elegido Samper Pizano como nuevo presidente de la República de Colombia. Yo sí le había dicho a mi mamá[1] que tuviera cuidado, porque Ernesto era capaz de acabar metiéndonos en ese lío, pero ella no lo creyó. Ahora nos toca decirle «doctor» y, en vista de que se niega a darnos cargos públicos, hemos tenido que lanzarnos a la «oposición constructiva».

---

1. Helena Pizano de Samper.